Reading & Interpretation
大家写小书·马恩经典著作新读

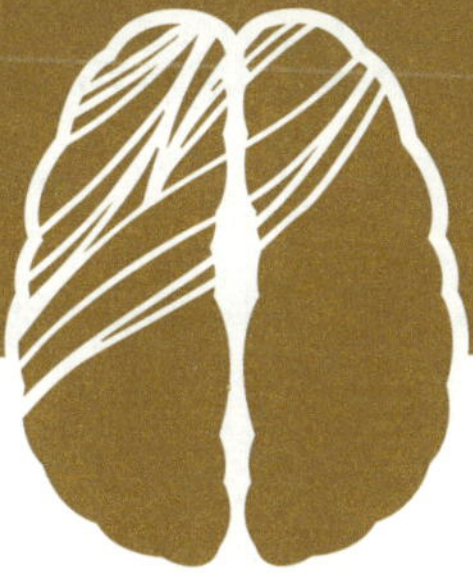

丛书主编 董振华

“百科全书式”的科学巨著

《反杜林论》新读

王易 著

红旗出版社

图书在版编目(CIP)数据

"百科全书式"的科学巨著 :《反杜林论》新读 / 王易著;单文鹏,陈雨萌,田雨晴执笔. —北京 : 红旗出版社,2022.1

(大家写小书 / 董振华主编. 马恩经典著作新读)

ISBN 978-7-5051-5177-2

Ⅰ.①百… Ⅱ.①王… ②单… ③陈… ④田… Ⅲ.①《反杜林论》-恩格斯著作研究 Ⅳ.①A811.24

中国版本图书馆CIP数据核字(2021)第204130号

书　　名　"百科全书式"的科学巨著

《反杜林论》新读

著　　者　王　易

责任编辑	丁　鋆	丛书统筹	丁　鋆
文字编辑	周婷婷　汪佳梅	责任印务	金　硕
责任校对	吕丹妮　沈云才	装帧设计	戴　影
出版发行	红旗出版社		
地　　址	北京市沙滩北街2号	邮政编码	100727
	杭州市体育场路178号	邮政编码	310039
编 辑 部	0571-85310806		
E - mail	rucdj@163.com	发 行 部	0571-85311330
图文排版	杭州兴邦电子印务有限公司		
印　　刷	杭州广育多莉印刷有限公司		
开　　本	889毫米×1194毫米	1/32	
字　　数	71千字	印　　张	3.125
版　　次	2022年1月第1版	印　　次	2022年1月第1次印刷
ISBN 978-7-5051-5177-2		定　　价	20.00元

把读马克思主义经典当作生活习惯

（丛书序）

习近平总书记在纪念马克思诞辰200周年大会上的讲话中强调："共产党人要把读马克思主义经典、悟马克思主义原理当作一种生活习惯、当作一种精神追求，用经典涵养正气、淬炼思想、升华境界、指导实践。"阅读马克思主义经典著作对于广大党员干部树立正确的世界观、人生观和价值观，从而以科学的世界观和方法论分析问题、解决问题和推动工作，具有重大的意义。

一、通过阅读马克思主义经典，感悟马克思主义经典作家的崇高价值追求，不断升华思想境界

人的自然生命总是有限的，作为自然的人，历史上的伟人不可能再对我们耳提面命，但是，他们的灵魂不朽，作为我们的精神导师，他们可以穿越时空对我们谆谆教诲。我们和伟人对话的方式，就是阅读他们撰写的经典，去感悟经典中所承载的不朽灵魂和伟大人格。马克思主义经典作家虽然已经远去，但是他们的精神和思想是不朽的，通过他们所创造的事业而生生不息，通过他们的经典著作而天长地久。正如《道德经》所言："不失其所者久，死而不亡者寿。"我们通过反复阅读马克思主义经典作家留下的经典著作，和他们心灵共鸣、灵魂

共振，接受马克思主义智慧和道义的滋养，不断升华思想境界，走向崇高，活出生命的意义和价值。

马克思主义经典作家作为人类解放的“盗火者”，为了给人类带来光明，历尽千辛万苦，仍然不屈不挠，奋斗不息，成就了伟大的人生。马克思在参加中学毕业考试的时候写下的作文《青年在选择职业时的考虑》中指出：“如果我们选择了最能为人类而工作的职业，那么，重担就不能把我们压倒，因为这是为大家作出的牺牲；那时我们所享受的就不是可怜的、有限的、自私的乐趣，我们的幸福将属于千百万人，我们的事业将悄然无声地存在下去，但是它会永远发挥作用，而面对我们的骨灰，高尚的人们将洒下热泪。”[①]从马克思的这篇作文中，我们可以强烈地感受到他伟大的人格和崇高的价值追求，能够明白什么样的生命才是有意义和价值的，才能够坚定理想信念，升华精神境界。马克思的生命实践充分彰显了伟人的灵魂和精神价值，也成就了马克思光辉的人生，受到了人们的普遍敬仰和尊敬。

正如习近平总书记在纪念马克思诞辰200周年大会上的讲话中所指出的：“马克思的一生，是胸怀崇高理想、为人类解放不懈奋斗的一生。”“马克思一生饱尝颠沛流离的艰辛、贫病交加的煎熬，但他初心不改、矢志不渝，为人类解放的崇高理想而不懈奋斗，成就了伟大人生。”

① 《马克思恩格斯全集》第1卷，人民出版社1995年版，第459—460页。

二、通过阅读马克思主义经典，学习马克思主义经典严谨的论证逻辑，掌握科学思想方法

一个理论如果缺乏严密的逻辑论证，要么是停留于空洞无物的无病呻吟，要么是停留于盲目自大的独断空论，这是苍白无力的，是不能够让人真服、真信的。我们通过阅读马克思主义经典，可以得出这样的深切感受：他们不是高高在上向人们颁布真理，而是通过铁的逻辑一步步严谨论证，最终的结论是自然而然在字里行间得出并呈现给读者，从而能够说服人、打动人、鼓舞人，让人们真懂、真信、真用，这是逻辑的力量！

我们阅读《共产党宣言》就能够强烈感受到这种逻辑的力量。马克思、恩格斯站在历史唯物主义的客观立场，对资本主义及其繁荣的景象进行了绘声绘色的描绘，对资本主义制度的历史贡献和历史合理性进行了充分肯定。在充分肯定的基础上，却得出了彻底否定的结论。这里所运用的逻辑就是辩证法。根据辩证法的逻辑，“辩证法在对现存事物的肯定的理解中同时包含对现存事物的否定的理解”，资本主义造就了如此巨大的生产力，极大地推动了历史的发展和社会的进步，但是，这也恰恰是资本主义必然要退出历史舞台的内在原因。因此，资本主义的合理性只是历史的合理性，也就是说，这只是有一定的前提和界限的合理性，只是在人类历史进程中的某一阶段具有合理性，超过了这个阶段必然丧失合理性。为此，《共产党宣言》指出：“资产阶级用来推翻封建制度的武器，

现在却对准资产阶级自己了。”[①]“资产阶级的关系已经太狭窄了,再容纳不了它本身所造成的财富了。”[②]因此,资本主义和资产阶级应该灭亡了,也必然会灭亡,“资产阶级的灭亡和无产阶级的胜利是同样不可避免的”[③]。资本主义必然灭亡,但是,这并不意味着它会自动灭亡,“共产党人不屑于隐瞒自己的观点和意图。他们公开宣布:他们的目的只有用暴力推翻全部现存的社会制度才能达到”[④]。

由此我们可以看到,无产阶级必须通过革命手段实现人类解放的根本价值追求,这一科学结论不正是在辩证法严密逻辑的基础上经过充分论证而得出来的吗?我们阅读马克思主义经典,就要学习这样的科学思想方法,在理论宣传和群众工作中力求做到言之有理、持之有故、以理服人,才能够让人们真信、真服,从而用科学的理论和崇高的价值说服人、凝聚人。

三、通过阅读马克思主义经典,体悟马克思主义经典蕴含的强烈问题意识,善于聆听时代声音

马克思主义经典作家撰写著作,并不是为了学术上的建树和理论上的兴趣,而是为了人类解放这一根本价值主题,针对时代问题而撰写的,因此,马克思主义经典著作蕴含着深刻的问题意识。我们阅读马克思主义经典著作,就必须深入到

---

①《共产党宣言》,人民出版社2018年版,第34页。

②《共产党宣言》,人民出版社2018年版,第33页。

③《共产党宣言》,人民出版社2018年版,第40页。

④《共产党宣言》,人民出版社2018年版,第65页。

这些著作撰写时的历史语境中，用强烈的问题意识把握这些经典著作所针对的时代问题，否则就容易陷入教条主义，至多成为一个只会夸夸其谈的“理论家”。

每个时代都有属于自己的时代问题，牢牢抓住这个时代问题，用强烈的问题意识准确地把握时代问题的本质，并找到解决时代问题的价值选择和理性方法，这是马克思主义经典作家在进行经典创作时的出发点。我们在阅读马克思主义经典的时候，应当通过回到当时的时代语境，进行视界融合，体悟当时人类现实生活的生存境遇、价值诉求等层面凸显出来的矛盾与问题，去学习马克思主义经典作家对这些时代问题进行深度研究、审视与批判所运用的逻辑和方法，映照当今的时代问题，从而得到启发和方向。

各级领导干部阅读马克思主义经典著作要在思想与时代问题的互动对话中完成，就必须把握时代脉搏，强化问题意识，正确审视当代社会发展中的问题与困境。马克思主义的基本原理为我们的实践活动提供了总的指导思想、根本原则和根本方法，但是，它没有提供解决问题的现成答案，必须由我们自己在坚持马克思主义立场、观点、方法的基础上，创造性地探索和解决这些问题。

毋庸置疑，广大党员干部对于阅读马克思主义经典的重要性基本形成了一种共识，但是面对纷繁复杂的社会环境、繁杂繁重的日常工作以及浩如烟海的经典著作，党员干部如何才能亲近经典、深入经典、融入经典呢？本着“学马列要精，要管用”的原则，丛书第一辑我们选定了10本经典著作，由红旗文稿杂志社顾保国社长主编，组织国内著名高校的权威专家进行精心解读，出版之后社会反响强烈，不断收到读者反馈，要求我们继续编撰出版相关著作；丛书还入选了国家新闻出版署组织实施的2020年“优秀通俗理论读物出版工程”。这既是对我们工作的肯定和鼓励，也是对我们的鞭策和激励，更是我们理论工作者义不容辞的责任和使命。正是基于这样的考虑，我们在第一辑的基础上，秉持同样的理念又选定了10本经典著作，组织权威专家进行解读，并由红旗出版社编辑出版“大家写小书·马恩经典著作新读”第二辑，希望为马克思主义大众化作一点力所能及的贡献，不辜负大家的期望和伟大的时代。必须实事求是地指出，马克思主义经典著作内容博大精深，而我们对其的学习和领悟只能是冰山一角、高山仰止。鉴于我们的学术水平和认知能力有限，肯定存在解读不准确甚至错误的地方，敬请各位读者不吝指正！

中共中央党校（国家行政学院）
哲学教研部副主任、教授　董振华
2021年10月

目　录

前　言 ………………………………………………………… 1

第一章　思想斗争的产物——《反杜林论》的写作背景 ………… 1
一、共产主义运动蓬勃发展影响日益扩大 …………………… 3
二、杜林大肆宣扬错误观点腐蚀党的肌体 …………………… 5
三、马克思主义遭受杜林追随者猛烈攻击 …………………… 7

第二章　批判与建构——《反杜林论》的内容介绍 ……………… 13
一、在“引论”中对科学社会主义与杜林错误观点的概述 ……… 15
二、在“哲学编”中对杜林唯心主义与形而上学的反击 ………… 23
三、在“政治经济学编”中对杜林庸俗经济学的反击 ………… 30
四、在“社会主义编”中对杜林冒牌社会主义的反击 ………… 40
五、恩格斯对杜林错误思想进行论战的整体性审视 ………… 48

第三章　祛魅与超越——《反杜林论》的理论意义与历史意义 … 57
一、还原本真，阐释和捍卫马克思主义的真理性 ……………… 59
二、走向澄明，指引世界无产阶级革命运动发展 ……………… 61
三、薪火相传，促进马克思主义的体系化大众化 ……………… 64

第四章　真理，从过去到未来——《反杜林论》的新时代现实意义 ……………………………………………………… 69
一、秉承批判品质，辨析错误思想，勇于驳斥斗争 ………… 71
二、运用辩证思维，考察现实问题，应对多元挑战 ………… 74
三、坚持大历史观，揭示发展规律，研判未来形势 ………… 77

四、聚焦全球视野，联合各国力量，推进国际共运 …………… 80

后　记 ……………………………………………………………… 84

前　言

《反杜林论》写于1876年至1878年，是恩格斯为适应国际无产阶级革命形势和解决德国社会主义工人党内部思想斗争的需要而写的。19世纪70年代，欧洲工人运动蓬勃发展，无产阶级政党纷纷建立，马克思主义已经成为各国工人运动的指导思想。当时德国第一个统一的工人政党——德国社会主义工人党内部存在着爱森纳赫派和拉萨尔派两条路线的斗争，德国小资产阶级社会主义者欧根·杜林打着"社会主义"的幌子，以具有欺骗性和蛊惑性的言论在党内散布错误思想，攻击马克思主义并意图抢占马克思主义在德国社会主义工人党内的主导地位，造成党内机会主义更加猖狂，严重危害着这一新生工人政党的健康发展。

为回击杜林的错误观点，捍卫马克思主义在德国社会主义工人党内的主导地位，进一步提升德国社会主义工人党的思想理论水平并实现党内思想统一，恩格斯应德国社会主义工人党领导人威廉·李卜克内西之邀，在马克思的支持下，针对杜林在哲学、政治经济学、社会主义领域宣扬的错误观点进行反击，并系统阐述马克思主义基本理论和科学观点，撰写了一系列批判杜林的文章，陆续发表在德国社会主义工人党机关报——《前进报》上。1877年7月，《欧根·杜林先生在科学中实行的变革。一、哲学》单行本出版。1878年7月，《欧根·

杜林先生在科学中实行的变革。二、政治经济学·社会主义》单行本出版。同年，恩格斯写了序言，将三部分合并出版。1879年11月14日，恩格斯在给奥·倍倍尔的信中，把这部书称作《反杜林论》。

全书包括五个部分：三个版本的序言、引论、哲学编、政治经济学编、社会主义编。恩格斯在三个德语版本的序言中说明了写作的历史背景和目的、修订的内容和原因；在"引论"部分整体概述了马克思创立唯物主义历史观的历史过程及伟大意义，指出杜林的部分错误观点；在"哲学编"中集中批判了杜林的唯心主义和形而上学，系统阐明了马克思主义哲学的基本原理；在"政治经济学编"中重点批判了杜林的庸俗经济学，清晰阐述了马克思主义政治经济学的基本观点和科学理论；在"社会主义编"中揭露了杜林的冒牌社会主义，整体阐释了科学社会主义的基本原理。在此五部分基础上，恩格斯在字里行间实现了从对杜林的消极批判到主动阐发马克思主义科学理论的正面批判的转向，开始了将马克思主义理论系统化的进程。

《反杜林论》的诞生，在马克思主义发展史和传播史上具有里程碑式的重要意义，正是在这部著作中，恩格斯第一次全面系统地阐述了马克思主义的三个重要组成部分——哲学、政治经济学、科学社会主义及其内在联系。恩格斯还以通俗易懂、生动活泼的语言和简洁严密、完整清晰的思路使这部著作成为觉悟工人的必读书籍，有力推动了马克思主义的大众化传播。

在开启全面建设社会主义现代化国家新征程的历史背景

下，学习恩格斯的这部重要著作，对于中国共产党团结带领全国各族人民在新时代新征程继续坚持和发展中国特色社会主义、向第二个百年奋斗目标进军具有重要启示意义：

第一，有助于整体、全面、正确地理解马克思主义理论体系，夯实马克思主义基本原理的基本功；

第二，有助于更加牢固的掌握马克思主义的科学世界观和方法论，以辩证思维和历史眼光认识好当前中国所处的中华民族伟大复兴的战略全局和世界百年未有之大变局，处理好改革、发展、稳定的辩证关系；

第三，有助于增强对马克思主义科学理论的信心和坚定对实现共产主义的信念，有力回击当前攻击抹黑中国的错误思潮和错误舆论，坚定中国特色社会主义的道路自信，激励全党全国各族人民意气风发，向第二个百年奋斗目标奋力前行。

第一章

思想斗争的产物
——《反杜林论》的写作背景

《反杜林论》是恩格斯在1876年9月至1878年6月间撰写完成的，1878年7月在德国莱比锡以《欧根·杜林先生在科学中实行的变革。哲学·政治经济学·社会主义》为书名首次出版。这部著作绝非恩格斯"内心激动"的成果或"纯学术争论"，而是当时德国社会主义工人党内两条路线斗争的产物，是国际无产阶级革命斗争需要的产物。19世纪70年代，德国社会民主工党在成立过程中，因没有及时地同拉萨尔派作斗争，造成党内思想混乱，"杜林瘟疫"迅速蔓延。杜林以"社会主义的行家"身份对马克思主义理论进行攻击，影响了工人运动和党内团结。《反杜林论》的诞生，彻底批判了杜林主义，揭露了杜林主义的迷惑性，巩固了马克思主义在党内的指导地位，促进了工人运动健康发展。

一、共产主义运动蓬勃发展影响日益扩大

17、18世纪，欧洲各国资产阶级革命相继完成，资产阶级为维护自身统治，随之建立起资本主义制度，但资产阶级没有随着资本主义的不断发展对无产阶级作出平等的承诺，反而加重了对无产阶级的剥削和压迫。随着工人阶级同资产阶级和封建贵族之间的矛盾日益加深，以及马克思主义在工人运动中的广泛传播，无产阶级队伍逐渐壮大，工人运动的热情随之高涨，终于在19世纪三四十年代，法、英、德等国的无产阶级开展了独立的政治运动，主要表现即著名的三大工人运动。在三大工人运动中，无产阶级提出了自己独立的政治和经济要求，并组建了世界上第一个工人阶级政党——共产主义同盟。这标志着无产阶级作为一支独立的政治力量登上了历史舞台。

知识链接

★ 欧洲三大工人运动 ★

欧洲三大工人运动是19世纪三四十年代在欧洲发生的三大工人运动的总称,包括法国里昂工人起义、英国宪章运动、德国西里西亚织工起义。1831年和1834年,法国里昂工人反对资本主义剥削压迫的两次武装起义,被称为里昂起义。1837年到1848年,英国工人发动了争取实现《人民宪章》的运动,被称为宪章运动。1844年6月普鲁士王国所属西里西亚纺织工人发动了以提高工资为目标的起义,史称西里西亚起义。欧洲三大工人运动标志着现代无产阶级作为一支独立的政治力量登上了历史舞台,开始显示出无产阶级伟大的历史作用。在三大工人运动中,无产阶级提出了自己独立的政治和经济要求,冲击着资本主义制度,无产阶级反对资产阶级的斗争由此进入一个新阶段。

19世纪七八十年代,英、法等西方国家资产阶级革命已经结束,资本主义的发展推动着自由资本主义逐步过渡到帝国主义。巴黎公社的失败,使各国工人阶级总结其经验教训,国际工人运动开始进入"和平"发展时期,各国在工人阶级队伍进一步发展壮大的基础上,先后建立了自己的政党,把工人运动推向了一个新的阶段。1871年后,德国实现了统一,此时的德国政府带有浓厚的封建主义色彩,但是在经过第二次工业革命后,生产力得到了迅速发展,伴随着国内资本主义的迅速发展,无产阶级队伍也在不断发展壮大,资产阶级和无产阶级之间产生了日益尖锐的矛盾,阶级斗争也随之激烈。欧洲工人运动的中心开始发生转移,逐渐从法国转向了德国。

然而，在德国国内，工人运动尚未统一起来，出现了认同马克思主义理论的德国社会民主工党和坚持拉萨尔主义的全德工人联合会两个党派。这两个派别的出现威胁到了德国资产阶级的利益。资产阶级为了保证自身利益不受侵犯，一方面，用暴力镇压无产阶级的革命活动，残害工人领袖，不停地向工人阶级及其政党发动进攻；另一方面，用庸俗的折中主义来腐蚀无产阶级的革命意志，采用各种阴谋和手段分裂瓦解工人队伍、收买工人贵族，从组织上分裂无产阶级政党，挑起工人阶级内部的斗争。介于社会主义与资本主义之间的一些小资产阶级知识分子思想发生动摇，摇摆于坚信社会主义和调和阶级矛盾之间。虽然其理论有社会主义的影子，但并非真正反对资本主义，也没有选择用暴力手段进行反抗，而是通过“科学理论”对马克思主义进行抵制，杜林就是其中极具代表性的一员。恩格斯为维护马克思主义学说，保证工人运动有序进行，便对杜林的唯物史观以及经济学理论进行了全面的反驳。

二、杜林大肆宣扬错误观点腐蚀党的肌体

欧根·杜林，1833年1月12日生于柏林，1921年9月21日逝于德国的偌瓦维斯，德国小资产阶级思想家。1853—1856年在柏林大学学习法律，毕业后在柏林法院担任律师和见习法官，1861年获柏林大学哲学博士学位，1863—1877年任柏林大学历史、哲学和国民经济学私人讲师。杜林曾经是一个社会改良主义者。从19世纪70年代开始，宣布改信社会主义，并以社会主义的行家和改革家自居。自1867年，杜林就针对

马克思和恩格斯的文章不断进行批判。1867年在报刊上撰文对马克思的《资本论》进行抨击。之后，出版《国民经济学和社会主义批判史》（1871）、《国民经济学和社会经济学教程》（1873）和《哲学教程——严格科学的世界观和生命形成》（1875）等主要著作，系统地阐述了他的折中主义哲学、庸俗的经济学和反动的社会主义理论体系，并向马克思主义的三个主要组成部分即马克思主义政治经济学、马克思主义哲学以及科学社会主义发动了全面进攻，声称自己在哲学、政治经济学和社会主义等领域都作出了全面的变革，妄想以自己的学说取代马克思主义。他一直大力宣扬自己的政治激进主义，多次对俾斯麦等主权阶级进行抨击，大力颂扬巴黎公社及其革命活动家，努力向德国社会民主工党靠拢，因而一度赢得了德国进步舆论界的好感，得到了德国不少大学生的认可和追随，许多人称杜林是思想家、导师和领袖。

当时，德国社会民主工党和全德工人联合会进行了两党合并，组建完成了“德国社会主义工人党”。虽然德国工人运动看似在组织上实现了统一，但是其思想上却容纳了机会主义。加上杜林的错误理论打着“社会主义”这块金字招牌，并以“科学”的伪装出现，杜林那些极具欺骗性和蛊惑力的思想在党内甚嚣尘上，党内的机会主义更加猖狂起来，党的领导人和一般党员几乎都相信了杜林。一时间，“杜林瘟疫”在党内及社会上迅速蔓延，党内一度出现了组织上、理论上的混乱，群众也对马克思主义产生了质疑，这直接危害了德国工人运动的发展和德国的健康发展。

知识链接

★ 德国社会主义工人党 ★

德国社会主义工人党是德国第一个统一的工人政党。由于德国政府对工人运动的高压与迫害，工人阶级迫切希望共同团结对敌。1875年5月，德国社会民主工党（爱森纳赫派）和全德工人联合会（拉萨尔派）在哥达城合并，成立了德国社会主义工人党，结束了德国工人运动长期分裂的局面。但是，爱森纳赫派为了合并不惜拿原则作交易。党的纲领（即《哥达纲领》）充满了拉萨尔派的观点，既没谈到无产阶级专政，也没谈到未来共产主义社会的国家制度，充满了改良主义幻想。该党先是受杜林主义的困扰，1878年《反社会党人非常法》颁布后，党内又出现“苏黎世三人团”的右倾机会主义和以莫斯特等为首的“左”倾无政府主义，后又受福尔马尔的右倾机会主义和“青年派”的冒险主义影响。该党在马克思和恩格斯的教育和帮助下，击败了右倾机会主义，提高了党的战斗力。1890年，德国社会主义工人党改名为“德国社会民主党”。它曾是第二国际的骨干，对促进德国工人运动和国际共产主义运动发展起了积极作用。但马克思、恩格斯逝世后，党内机会主义逐渐占据统治地位。第一次世界大战爆发后，它堕落成了资产阶级的工具。

三、马克思主义遭受杜林追随者猛烈攻击

当杜林提出了包罗万象的以“新的社会主义理论”为核心的“新哲学体系”时，他不仅被誉为“民主斗士”，而且在德国社会主义工人党中的影响颇大，逐步成为德国社会民主党的一面理论“旗帜”。而更为严峻的是，他赢得了像伯恩施坦、莫斯

特、弗里茨舍、瓦尔泰西和阿·恩斯等有影响力的人的狂热追随。他们为杜林讲学招揽听众、提供讲台，采取种种手段迫使党报发表他们吹捧杜林的文章，抨击马克思主义，并准备以通俗读物的形式出版杜林的著作，妄图把杜林的荒谬理论散布到工人群众中去。

1847年3月，倍倍尔阅读了伯恩施坦推荐的杜林的《国民经济学和社会经济学教程》后，立即在中央机关报——《人民国家报》[1]上以《一个新的"共产党人"》为标题匿名发表了两篇关于杜林的文章，认为杜林的"基本观点是出色的，我们完全赞同。因此，我们毫不犹豫地宣布：继马克思的《资本论》之后，杜林的最新著作属于经济学领域最近出现的优秀著作之列"[2]。伯恩施坦几次登门拜访，成为杜林的热烈拥护者，他曾回忆说："杜林在他论述社会主义的著作中对于马克思与拉萨尔的辛辣的批评，并没有削弱我们对他的信仰。一位果断的科学家挺身而出做社会主义的见证人，而且力求用比马克思的著作易懂得多的语言与形式来叙述社会主义，——和这件事实比起来，我们认为，他同《资本论》作者之间的理论分歧是不重要的。"[3]伯恩施坦认为，杜林在一个连"最不起眼的哲学博士，甚至大学生，动辄就要创造一个完整的'体系'"[4]的时代，"用比马克思的著作易懂得多的语言与形式来叙述社会主

① 德国社会民主工党和全德工人联合会合并后，《人民国家报》更名为《前进报》。

② 中共中央马克思恩格斯列宁斯大林著作编译局国际共运史研究室编：《研究〈反杜林论〉的参考史料》，生活·读书·新知三联书店1980年版，第41页。

③ 中共中央马克思恩格斯列宁斯大林著作编译局国际共运史研究室编：《研究〈反杜林论〉的参考史料》，三联书店1980年版，第2—3页。

④《马克思恩格斯选集》第3卷，人民出版社2012年版，第380页。

义”[①]，这在当时已有的马克思和恩格斯著作中很难找到，因此得到了人民群众的认可和广泛的传播。

面对杜林对马克思主义在德国社会民主工党内地位的挑战，威廉·李卜克内西在1875年2月1日致信恩格斯，希望他能批判杜林，消除不良的影响。同年11月，李卜克内西接连4次致信恩格斯请求他尽快彻底地对杜林思想进行批判。此时，恩格斯正在抓紧时间写作《自然辩证法》，一旦开始批判杜林，这项工作就会被打断。由于“德国社会党正在迅速成为一股力量。但是，要使它成为一股力量，首先必须使这个刚刚赢得的统一不受危害。可是，杜林博士却公然准备在他周围建立一个宗派，作为未来的独立政党的核心。因此，不管我们是否愿意，我们必须应战，把斗争进行到底”[②]。1876年5月底，恩格斯决心暂时停下对自然辩证法的研究工作，“着手来啃这一个酸果”[③]。

1876年5月24日，恩格斯写了一封信给马克思，信中表示要彻底批判杜林和杜林主义。5月25日，马克思立即回信，坚决支持这个想法。5月28日，恩格斯再次致信马克思，决定了他批判的计划：从杜林的《哲学教程》一书入手，因为“这本书暴露出的庸俗性比他的经济著作更直截了当”[④]，写作“开始时我将纯客观地、似乎很认真地对待这些胡说，随着对他的荒谬和庸俗的揭露越来越深入，批判就变得越来越尖锐，最后给他

① 中共中央马克思恩格斯列宁斯大林著作编译局国际共运史研究室编：《研究〈反杜林论〉的参考史料》，三联书店1980年版，第2—3页。

②《马克思恩格斯选集》第3卷，人民出版社2012年版，第750页。

③《马克思恩格斯选集》第3卷，人民出版社2012年版，第380页。

④《马克思恩格斯全集》第34卷，人民出版社1972年版，第18页。

一顿密如冰雹的打击”[①]。之后，恩格斯集中精力做批判杜林的准备工作：他订购杜林的书籍，搜集杜林的文章，阅读了许多相关著作和资料，认真研究、摘录和分析。在恩格斯写作《反杜林论》期间，马克思给予了他极大的支持和帮助，在写作《资本论》异常紧张的情况下，还抽出一些时间阅读、分析杜林的著作，及时同恩格斯交换意见。他提醒恩格斯，要注意和熟悉杜林在著作中使用的方法，还为恩格斯搜集、推荐和寄送相关书籍材料，甚至亲自参加写作。在两年多的时间里，恩格斯撰写了一系列批判文章，陆续发表在德国社会主义工人党的机关报——《前进报》上，恩格斯把这些论文结集成书，这就是著名的《反杜林论》。

《反杜林论》的第一个中译本由吴亮平翻译，1930年由上海江南书店出版。20世纪60年代初，中央编译局根据《马克思恩格斯全集》德文版第20卷并参照《马克思恩格斯全集》俄文版第20卷、参考吴亮平译本翻译《反杜林论》，先后编入1971年出版的《马克思恩格斯全集》中文第一版第20卷、1972年出版的《马克思恩格斯选集》第一版第3卷，并出版了单行本。从2004年起，中央编译局又根据《马克思恩格斯全集》历史考证版第1部分第27卷并参考《马克思恩格斯全集》德文版第20卷对《反杜林论》译文作了审核修订，先后编入2009年出版的《马克思恩格斯文集》第9卷、2012年出版的《马克思恩格斯选集》第三版第3卷、2014年出版的《马克思恩格斯全集》中文第二版第26卷。

---

①《马克思恩格斯全集》第34卷，人民出版社1972年版，第19页。

知识链接

★《反杜林论》标题的由来★

1877年7月，恩格斯的这部著作的第一编以《欧根·杜林先生在科学中实行的变革。一、哲学》为题在莱比锡出版了单行本。1878年7月，第二编和第三编以《欧根·杜林先生在科学中实行的变革。二、政治经济学·社会主义》为题也在莱比锡出版了单行本。同年7月8日前后，全书在莱比锡出版了第1版，由恩格斯署名并撰写了序言，标题为《欧根·杜林先生在科学中实行的变革。哲学·政治经济学·社会主义》。在以后的德文各版本中，该书均以《欧根·杜林先生在科学中实行的变革》为标题，未加副标题《哲学·政治经济学·社会主义》。恩格斯在1879年11月14日给奥·倍倍尔的信中把这部书称作《反杜林论》。1895年，列宁在他的《弗里德里希·恩格斯》一文中，沿用了《反杜林论》的书名。后来《反杜林论》就成为这部著作的正标题，而被载入史册。

延伸阅读

（1）恩格斯：《反杜林论》，《马克思恩格斯选集》第3卷，人民出版社2012年版，第379—714页。

（2）恩格斯：《社会主义从空想到科学的发展》，《马克思恩格斯选集》第3卷，人民出版社2012年版，第741—817页。

（3）恩格斯：《恩格斯致马克思》，《马克思恩格斯全集》第34卷，人民出版社1972年版，第18—20页。

深度思考

(1)《反杜林论》是在什么历史条件和时代背景下撰写的?

(2)"杜林瘟疫"在德国社会主义工人党内及社会上造成了怎样的危害?

(3)为什么恩格斯暂停对《自然辩证法》的研究工作转而去撰写《反杜林论》?

第二章

批判与建构
——《反杜林论》的内容介绍

《反杜林论》是恩格斯针对小资产阶级社会主义者欧根·杜林在哲学、政治经济学、社会主义领域宣扬的错误观点进行反击，并系统阐述马克思主义基本原理及其科学体系而写作的一部重要著作。《反杜林论》由五个部分组成，包括三个版本的序言、引论、哲学编、政治经济学编、社会主义编。恩格斯在三个版本的序言中说明了写作的历史背景和目的、修订的内容和原因。引论是从第一编"哲学编"中抽出来的内容，作为全书总的引论，整体概述了马克思创立唯物主义历史观的历史过程及伟大意义，并指出了杜林的部分错误观点。在"哲学编"中，恩格斯集中批判了杜林的唯心主义和形而上学，系统阐明了马克思主义哲学的基本原理。在"政治经济学编"中，恩格斯重点批判了杜林的庸俗经济学，清晰阐述了马克思主义政治经济学的基本观点和科学理论。在"社会主义编"中，恩格斯揭露了杜林的冒牌社会主义，整体阐释了科学社会主义的基本原理。

基于对《反杜林论》的整体把握，下面从恩格斯在"引论"中对科学社会主义与杜林错误观点的概述、在"哲学编"中对杜林唯心主义与形而上学的反击、在"政治经济学编"中对杜林庸俗经济学的反击、在"社会主义编"中对杜林冒牌社会主义的反击，以及恩格斯对杜林错误思想进行论战的整体性审视等五个部分进行详细解读，力求实现对恩格斯这部巨著的准确把握和科学理解。

一、在"引论"中对科学社会主义与杜林错误观点的概述

"引论"是恩格斯写作《反杜林论》的哲学部分时创作的内

容，后来被单独拿出来作为全书的总的引论。恩格斯在“引论”中以社会主义思潮的产生为起点，充分运用马克思主义哲学的科学世界观和方法论，指明未来社会主义必将走向科学社会主义。同时，恩格斯也鲜明地指出，当时给德国社会民主工党带来巨大思想混乱的杜林狂妄自大，罔顾历史潮流，其思想体系错误百出，需要进行集中、系统的批判，以正视听。恩格斯在“引论”中充分做到了破立结合，既将批判矛头直指杜林的错误观点，又整体阐明了马克思主义的科学性，为后文系统批判杜林错误观点并逐步正面阐发科学理论奠定基础。

1. 科学社会主义产生与发展的必然历史进程

恩格斯指出：“同任何新的学说一样，它必须首先从已有的思想材料出发，虽然它的根子深深扎在经济的事实中。”[①]科学社会主义的产生正是遵循这样的规律。它从现代社会主义一路走来，先后经历了18世纪法国启蒙学者的思想观点、资产阶级革命中出现的现代无产阶级先驱者的独立运动理论、直接的共产主义学说、三大空想社会主义者的创见等思想的洗礼。尽管这些思想产生在“世界用头立地的时代”，具有历史局限性，但这些宝贵思想可谓是科学社会主义最终形成的重要思想基石。后来，社会主义被英国、法国和德国的第一批社会主义者当作“绝对真理、理性和正义的表现，只要它被发现了，它就能用自己的力量征服世界；因为绝对真理是不依赖于时间、空间和人类的历史发展的”[②]，既然社会主义被三大空想社会主义者发现了，就应该将此前一切的思想成果抛弃到垃

①《马克思恩格斯选集》第3卷，人民出版社2012年版，第391页。

②《马克思恩格斯选集》第3卷，人民出版社2012年版，第394页。

圾堆中，并坚决信奉他们各学派自己所认为的“绝对正确的”社会主义。第一批社会主义者以各自的主观认知为基础，面对真理的冲突只能以相互磨损和折中的方式以求生存。这就形成了摆在马克思、恩格斯面前的“折中的不伦不类的社会主义”，“这种社会主义实际上直到今天还统治着法国和英国大多数社会主义工人的头脑，它是由各学派创始人的比较温和的批判性言论、经济学原理和关于未来社会的观念组成的色调极为复杂的混合物”[①]。这种社会主义不可能科学指引无产阶级实现真正的解放，最终只能走向乌托邦式的空想或被资本主义所吞噬。

知识链接 ……………………………………………

★ 三大空想社会主义者 ★

三大空想社会主义者一般指19世纪初空想社会主义三大代表性人物：法国的圣西门和傅立叶、英国的欧文。这一时期是空想社会主义发展的第三阶段，也是最重要的发展阶段。英国工业革命开始后，无产阶级生活的苦难和斗争的无助更加深重，资本主义制度的种种弊端暴露得更加显著，引起了思想家们的极大关注。他们剖析社会制度存在的问题，对社会制度不合理之处提出改良的途径，描绘了理想社会的美好蓝图。受时代局限性的影响，空想社会主义“不成熟的理论，是同不成熟的资本主义生产状况、不成熟的阶级状况相适应的。解决社会问题的方法还隐藏在不发达的经济关系中，

①《马克思恩格斯选集》第3卷，人民出版社2012年版，第394页。

所以只能从头脑中产生出来”[①]。

如何将现代社会主义从空想变为科学呢？恩格斯指出，“为了使社会主义变为科学，就必须首先把它置于现实的基础之上”[②]，就是“每一时代的社会经济结构形成现实基础，每一个历史时期的由法的设施和政治设施以及宗教的、哲学的和其他的观念形式所构成的全部上层建筑，归根到底都应由这个基础来说明”[③]，就是从人类社会发展规律的剖析中得出，资本主义制度必然灭亡，社会主义的美好愿景必将实现，并且在现实的基础上可以得出一条具体可行的实践道路。实现这一重大转变，需要从认识世界和改造世界的世界观和方法论入手。空想社会主义产生的社会思想背景是形而上学和唯心主义横行的时代，恩格斯认为“要精确地描绘宇宙、宇宙的发展和人类的发展，以及这种发展在人们头脑中的反映，就只有用辩证的方法，只有不断地注意生成和消逝之间、前进的变化和后退的变化之间的普遍相互作用才能做到”[④]。同时，还需要与辩证思维的基本规律相符合的唯物主义观点。基于此，恩格斯论述了唯物辩证法和唯物史观的形成过程，阐明了黑格尔为恢复辩证法这一最高思维形式作出的巨大贡献和黑格尔辩证法的唯心主义实质，揭示了唯物辩证法和唯物史观的确立与运用是社会主义从空想走向科学的关键。

---

①《马克思恩格斯选集》第3卷，人民出版社2012年版，第645页。

②《马克思恩格斯选集》第3卷，人民出版社2012年版，第394页。

③《马克思恩格斯选集》第3卷，人民出版社2012年版，第401页。

④《马克思恩格斯选集》第3卷，人民出版社2012年版，第398页。

辩证法从起源到没落再到恢复的历史发展进程。辩证法这种思维方式早在古希腊哲学家那里就已经形成，“而且是由赫拉克利特最先明白地表述出来的：一切都存在又不存在，因为一切都在流动，都在不断地变化，不断地生成和消逝”[①]。但是这种世界观只是正确地把握了现象的总的一般性质，不能够说明细节，因此人们为了认识这些细节，就将细节抽离出总体画面，割断了原本存在的联系，对细节进行特定的专门的研究。在自然科学的细节研究中，特别是15世纪下半叶精准的实证研究流行以来，自然界被解剖为各个部分并划分为门类，最终进行按部门的分门别类的研究。恩格斯指出：“这种做法也给我们留下了一种习惯：把各种自然物和自然过程孤立起来，撇开宏大的总的联系去进行考察，因此，就不是从运动的状态，而是从静止的状态去考察；不是把它们看做本质上变化的东西，而是看做固定不变的东西；不是从活的状态，而是从死的状态去考察。”[②]当自然科学研究中的这种思维习惯被培根和洛克移植到哲学中，就形成了17世纪到19世纪所特有的形而上学思维方式。这种思维方式在常识应用范围是可以的，但在研究中就会碰到极为惊人的变故，研究的事物将会是极其复杂的事情，而形而上学的思维方式就会变成片面的、狭隘的、抽象的，只看到彼此独立的事物，忘记它们互相间的联系。因此，再进一步的研究必然要研究它们的联系，辩证法“本质上是从它们的联系、它们的联结、它们的运动、

①《马克思恩格斯选集》第3卷，人民出版社2012年版，第395页。

②《马克思恩格斯选集》第3卷，人民出版社2012年版，第396页。

它们的产生和消逝方面去考察的"[1]。辩证法是在近代德国哲学中得以恢复的，黑格尔第一次"把整个自然的、历史的和精神的世界描写为一个过程，即把它描写为处在不断的运动、变化、转变和发展中，并企图揭示这种运动和发展的内在联系"[2]。辩证的思维方式推动着人类认识和改造世界的进程，给其他一切科学研究提出了揭示该领域运动规律的要求。

历史观从唯心主义走向唯物主义。被黑格尔恢复的辩证法实质上是唯心主义的辩证法，"在他看来，事物及其发展只是在世界出现以前已经在某个地方存在着的'观念'的现实化的反映。这样，一切都被头足倒置了，世界的现实联系完全被颠倒了"[3]。因此，试图透过一切表面的偶然性揭示这一过程的内在规律性的艰巨任务，在黑格尔他自己那里并没有完成，因为其理论的唯心主义本质是与其所提出的辩证思维相互矛盾的。解决这一问题的办法，就是认识到唯心主义的荒谬性，坚定地走向唯物主义。唯物主义在自然观上率先得到发展。恩格斯指出："现代唯物主义概括了自然科学的新近的进步，从这些进步来看，自然界同样也有自己的时间上的历史，天体和在适宜条件下生存在天体上的有机物种都是有生有灭的；至于循环，即使能够存在，其规模也要大得无比。"[4]历史观上的变革在工人阶级的革命活动中得到印证，事实表明：资产阶

①《马克思恩格斯选集》第3卷，人民出版社2012年版，第397页。
②《马克思恩格斯选集》第3卷，人民出版社2012年版，第398页。
③《马克思恩格斯选集》第3卷，人民出版社2012年版，第399页。
④《马克思恩格斯选集》第3卷，人民出版社2012年版，第400页。

级经济学关于资本和劳动的利益一致、关于自由竞争必将带来普遍和谐与人民的普遍福利的学说完全是谎言。唯心主义历史观根本无法解释和认识这些事实，更不能指导人们的实践活动，对此恩格斯明确提出："新的事实迫使人们对以往的全部历史作一番新的研究，结果发现：以往的全部历史，都是阶级斗争的历史。"[①]这一重大发现将唯心主义从历史观这一最后的"避难所"中驱逐出去，唯物主义历史观被提出来了，世界被科学正确地重新颠倒过来。

以唯物史观和剩余价值理论为基础的科学社会主义形成。以往的社会主义在唯物史观面前，显示了其理论的软弱性。"以往的社会主义固然批判了现存的资本主义生产方式及其后果，但是，它不能说明这个生产方式，因而也就不能对付这个生产方式；它只能简单地把它当做坏东西抛弃掉。"[②]而唯物史观既可以认识到资本主义生产方式存在与灭亡的历史必然性，也可以充分认识这个生产方式本身，后者就是剩余价值的发现，即"无偿劳动的占有是资本主义生产方式和通过这种生产方式对工人进行的剥削的基本形式"[③]。唯物史观和剩余价值理论两大理论的发现，是社会主义从空想走向科学的决定性因素。对此，恩格斯高度评价了马克思创立唯物史观和剩余价值理论的伟大功绩："这两个伟大的发现——唯物主义历史观和通过剩余价值揭开资本主义生产的秘密，都应当归功于马克思。"[④]

---

①《马克思恩格斯选集》第3卷，人民出版社2012年版，第401页。

②③④《马克思恩格斯选集》第3卷，人民出版社2012年版，第402页。

2. 杜林的错误思想与现代思想进程背道而驰

杜林作为与马克思、恩格斯同时代的人，也处于恩格斯所述的思想境况之中，他在哲学、政治经济学和社会主义各领域都有所著述，如《哲学教程》《国民经济学和社会经济学教程》《国民经济学和社会主义批判史》等，妄图构建起具有终极真理属性的理论大厦，改变思想界现存的“谬误”，同时，“他就把自己说成是当代和‘可以预见的’未来的唯一真正的哲学家。谁同他不一致，谁就违背真理”[①]。

事实上，杜林思想观点的正确性还有待商榷，其言语的狂妄自大以及对诸多伟大思想家的污蔑嘲讽令人气愤，例如杜林自称其哲学理论能“超越连他自己也不否认的他个人的主观局限性”[②]，而对莱布尼茨、康德、费希特、谢林等前辈哲学家们嘲讽有加；杜林对自己的政治经济学观点给予了“创造性的转变”这样极高的评价；杜林认为自己制定的未来社会的社会主义规划是唯一的救世良方，而其他社会主义先驱们都是罪人，并用刻薄的字眼形容他们，对后来的社会主义者们也不无谩骂。杜林对于自己的评价，则是“自己是和教皇一样没有谬误的，如果人们不愿意受最可恶的异端邪说的迷惑，那就只好干脆接受他的唯一能救世的学说”[③]。对此，恩格斯指出：“我认为我们的责任只是在于，一方面举例说明杜林先生所谓‘讲究措辞的谨慎而又真正谦虚的表达方法’；另一方面确认：在杜林先生那里，他的先驱者的一无是处，正像他自己的没有谬

①《马克思恩格斯选集》第3卷，人民出版社2012年版，第403页。
②《马克思恩格斯选集》第3卷，人民出版社2012年版，第404页。
③《马克思恩格斯选集》第3卷，人民出版社2012年版，第405页。

误一样，是肯定无疑的。”[①]这两项工作是恩格斯在后续内容的撰写中着重要解决的问题，他要用科学的理论来证明杜林思想的谬误，从而澄清错误并为先驱们的理论正名。

二、在“哲学编”中对杜林唯心主义与形而上学的反击

恩格斯在“哲学编”中，重点围绕思维与存在、相对与绝对两对关系，批判了杜林的唯心主义和形而上学，系统阐述了辩证唯物主义的物质观、真理观、道德观等，全面系统地阐发了马克思主义哲学的基本原理。

1. 批判杜林先验主义哲学，聚焦思维与存在之问

第一，恩格斯在“哲学编”首先点明杜林的先验唯心主义错误。恩格斯指出，“他所谓的原则，就是从思维而不是从外部世界得来的那些形式的原则，这些原则应当被运用于自然界和人类，因而自然界和人类都应当适应这些原则”[②]，也就是说，杜林认为原则是在世界形成之前就永恒地存在着，并以此来构造现实世界的东西。但事实上，原则与现实世界的关系应该是：“原则不是研究的出发点，而是它的最终结果；这些原则不是被应用于自然界和人类历史，而是从它们中抽象出来的；不是自然界和人类去适应原则，而是原则只有在符合自然界和历史的情况下才是正确的。”[③]因此，杜林的观点颠倒了思维原则与客观存在的关系，其性质是先验唯心主义的。恩格斯发现，杜林的此种观点与黑格尔的《哲学全书纲要》高度雷

①《马克思恩格斯选集》第3卷，人民出版社2012年版，第408页。

②《马克思恩格斯选集》第3卷，人民出版社2012年版，第409页。

③《马克思恩格斯选集》第3卷，人民出版社2012年版，第410页。

同，杜林的一般世界模式论与黑格尔的逻辑学相似，杜林的自然哲学与黑格尔的自然哲学几乎一致，杜林也有黑格尔所谓精神哲学的内容。可见，杜林一直声称要开创一种唯一终极真理的结果，不过是对黑格尔《哲学全书纲要》的抄袭。恩格斯对此评价道："照搬纯系老黑格尔的'序列'，而且对这种抄袭几乎不想作任何掩饰！"[①]然而，"黑格尔从存在进到本质，进到辩证法"[②]，尽管黑格尔犯了唯心主义的错误，但在他的历史哲学中深藏着辩证法的精髓，杜林则是"整章中连内在联系的表面现象都没有，因为没有把这种内在联系也从黑格尔那里抄来，结果，一切都成为关于空间和时间、不变和变的毫无内容的玄想"[③]。因此，杜林的先验唯心主义错误的根源，就在于他完全形而上学地而非历史地看待事物，他否认矛盾的存在，把意识和思维当作现成静止的东西，而不考虑其产生和发展的过程，因而也就无法深刻认识思维和存在的对立统一关系。

第二，从思维与存在的关系出发系统阐发辩证唯物主义的物质观。杜林的先验唯心主义在其世界模式论中体现得最为明显，例如关于纯数学的产生问题。杜林在世界模式论中就认为纯数学产生于纯思维，"他不需要任何经验的填加料，就可以从那些'按照纯粹逻辑的观点既不可能也不需要论证'的数学公理中推导出全部纯数学，然后把它应用于世界"[④]。恩格斯为批判杜林的先验唯心主义观点，专门选取其世界模

①②③《马克思恩格斯选集》第3卷，人民出版社2012年版，第421页。
④《马克思恩格斯选集》第3卷，人民出版社2012年版，第414页。

式论展开批判，明确提出了“世界的真正的统一性在于它的物质性”[①]的科学观点。杜林认为的关于思维与存在的关系是完全颠倒的，他认为“包罗万象的存在是唯一的”，“一切思维的本质就在于把意识的要素联合为一个统一体”，“不可分割的世界概念正是通过这种综合的统一点产生的，而宇宙，就像是这个词本身所表明的，被认为是万物在其中联合为一个统一体的东西”[②]。简单来说，杜林是把存在的唯一性变成存在的统一性，用世界统一的概念来说明现实世界的统一。事实上，杜林对存在的认识以及对世界统一性的把握都是完全错误的。恩格斯指出：“当我们说到存在，并且仅仅说到存在的时候，统一性只能在于：我们所说的一切对象都是存在的、实有的。”[③]“存在的”是唯一能赋予存在这个概念的特性，其他任何共同的特性都不能再被赋予，因为这是一个过于广袤的范围。因此，世界的统一性并不在于存在，尽管世界的存在是世界的统一性的前提，“因为世界必须先存在，然后才能是统一的”[④]。恩格斯指出，世界的统一性在于它的物质性，因为世界的本质是物质的，物质是精神的基础和前提，而精神是派生的，从而科学地揭示了思维与存在、物质与精神的对立统一关系，将唯物主义与唯心主义划清了界限。

①《马克思恩格斯选集》第3卷，人民出版社2012年版，第419页。

②《马克思恩格斯选集》第3卷，人民出版社2012年版，第416页。

③④《马克思恩格斯选集》第3卷，人民出版社2012年版，第419页。

知识链接

★《哲学全书纲要》★

《哲学全书纲要》又称《哲学科学全书纲要》，是德国哲学家、古典唯心主义的集大成者黑格尔的著作。该书是黑格尔在海德堡大学、柏林大学多年讲授哲学课自用的教科书，是黑格尔生前亲自定稿和出版的四种著作之一，是他自己唯一出过三次的著作（分别在1817年、1827年和1830年出版）。这部书以纲要形式全面阐发了黑格尔的哲学体系，统观哲学全范围，内容包括逻辑学（俗称“小逻辑”，与单行本《逻辑学》即“大逻辑”相区分）、自然哲学、精神哲学，黑格尔将“理念”看作世界的本质，认为自然、人类社会和人的精神现象都是它在不同发展阶段上的表现形式，而“理念”的发展经历了逻辑、自然、精神这三个阶段，因此他的哲学就是对这三个发展阶段的描述。这部著作创立了欧洲哲学史上最庞大的客观唯心主义体系，并极大地发展了辩证法。

2. 批判杜林“永恒真理”论，聚焦相对与绝对之惑

杜林在形而上学和唯心主义的世界观和方法论的基础上，在历史科学领域妄图塑造“永恒真理”和“永恒道德”。恩格斯跟进杜林的错误观点，在“道德与法”的章节中，运用前文所阐述的辩证唯物主义方法，围绕相对与绝对的关系，鲜明批判了杜林的错误真理观和道德观，并进一步论述了马克思主义的真理观与道德观。

第一，批判杜林“永恒真理”的绝对主义性质，阐明真理的相对性。杜林为了将自己的观点推向终极真理的地位，不断论证“永恒真理”的概念，他认为：**“真正的真理是根本不变**

的……因此，把认识的正确性设想成是受时间和现实变化影响的，那完全是愚蠢。”[①]杜林的错误不在于承认永恒真理的存在，而是在于他把当下的真理看成是永恒的，并且要把这一观点推广到一切领域。恩格斯认为，杜林将真理绝对化，实质上是形而上学的思维方式所导致的。要对这种错误观点进行批判，首先要解答这样一个问题：“人的认识的产物究竟能否具有至上的意义和无条件的真理权，如果能有，那么是哪些产物。”[②]恩格斯层层分析以解答这一疑惑，研究发现，集体的人的认识的产物（一代人的认识成果）经常会被后代所批判和超越，个人的认识的产物也不能保证个人可以处在健康清醒的状态以作正确的判断，因此“思维的至上性是在一系列非常不至上地思维着的人中实现的；拥有无条件的真理权的认识是在一系列相对的谬误中实现的”[③]。恩格斯还将整个认识领域划分为三大部分，即精密科学（数学、天文学、力学等）、有机体的科学（生物学、解剖学等）、历史科学（哲学、宗教、艺术等）。在这三大科学领域中，任何人都不能武断地说某种结论是“永恒真理”，因为人们总是在科学技术的进步和社会发展变迁中有新的发现，某些我们看似是真理的东西（例如二加二等于四、巴黎在法国、人不吃饭就会饿死等），只不过是在某个特定历史条件下人们获得的相对真理，而人们把握绝对真理则是通过把握相对真理的无限延续来实现的。所以，人们对真理的把握是一个发展变化的过程，否认人可以把握真理并正确

①《马克思恩格斯选集》第3卷，人民出版社2012年版，第461页。

②《马克思恩格斯选集》第3卷，人民出版社2012年版，第462页。

③《马克思恩格斯选集》第3卷，人民出版社2012年版，第463页。

认识世界是错误的，而认为人可以把握超历史的绝对真理也是错误的，真理并不是绝对的，而是相对的，“真理和谬误，正如一切在两极对立中运动的逻辑范畴一样，只是在非常有限的领域内才具有绝对的意义”，“只要我们在上面指出的狭窄的领域之外应用真理和谬误的对立，这种对立就变成相对的”，“对立的两极都向自己的对立面转化，真理变成谬误，谬误变成真理”[①]。

第二，批判杜林“永恒道德”的绝对适用性，阐明道德的历史性与阶级性。恩格斯认为，杜林宣扬“永恒真理”的目的是宣扬在人类历史领域内也存在着永恒真理、永恒道德、永恒正义等等。杜林从抽象的数学公理和人性论出发，论证道德也同他在世界模式论中所说的抽象思维一样是永恒不变的，是凌驾于历史和现今民族特性的差别之上的，具有“绝对的适用性”。恩格斯批判了杜林的此种错误观点，真理在自然科学领域中尚且无法达到绝对化，那么在人类历史领域更不能得到如此绝对适用的观点，真理与谬误“这一对立完全是在道德领域中，也就是在属于人类历史的领域中运动，在这里播下的最后的终极的真理恰恰是最稀少的。善恶观念从一个民族到另一个民族、从一个时代到另一个时代变更得这样厉害，以致它们常常是互相直接矛盾的”[②]。因此，在人类历史领域，根本无法存在如杜林所说的具有绝对适用性的“永恒道德”，而道德必然是历史的、阶级的产物。首先，恩格斯论证了作为上层建筑的道德所具有的历史性与阶级性。他介绍了当时社会所存

①《马克思恩格斯选集》第3卷，人民出版社2012年版，第467—468页。
②《马克思恩格斯选集》第3卷，人民出版社2012年版，第469—470页。

在的三种道德要求:一是由过去信教时代传下来的基督教封建的道德传统,二是现代正流行的资产阶级道德要求,三是已经萌生的无产阶级道德诉求。这三个阶级所提出的道德要求各不相同,这是因为“人们自觉地或不自觉地,归根到底总是从他们阶级地位所依据的实际关系中——从他们进行生产和交换的经济关系中,获得自己的伦理观念”[1]。因此,“一切以往的道德论归根到底都是当时的社会经济状况的产物。而社会直到现在是在阶级对立中运动的,所以道德始终是阶级的道德”[2]。其次,恩格斯肯定了共同历史背景下道德的共同性。在上述三种道德中是否存在共同的地方呢?恩格斯肯定了这一点,无论是基督教道德、资产阶级道德还是无产阶级道德,都是同一历史发展的三个不同阶段,因此必然存在共同的历史背景,“对同样的或差不多同样的经济发展阶段来说,道德论必然是或多或少地互相一致的”[3],例如在从私有制为基础的社会发展过程中(表现为奴隶社会、封建社会、资本主义社会等社会形态),切勿偷盗就是共同的道德要求。最后,恩格斯指出无产阶级道德才是真正的人的道德。在没有偷盗动机、实行生产资料公有制的社会里,切勿偷盗就是一句可笑的道德要求,“只有在不仅消灭了阶级对立,而且在实际生活中也忘却了这种对立的社会发展阶段上,超越阶级对立和超越对这种对立的回忆的、真正人的道德才成为可能”[4]。综上,恩

①《马克思恩格斯选集》第3卷,人民出版社2012年版,第470页。
②《马克思恩格斯选集》第3卷,人民出版社2012年版,第471页。
③《马克思恩格斯选集》第3卷,人民出版社2012年版,第470—471页。
④《马克思恩格斯选集》第3卷,人民出版社2012年版,第471页。

格斯从社会存在决定社会意识、经济基础决定上层建筑的基本原理出发，提供了分析道德和对人们行为进行道德评价的理论和方法。

三、在"政治经济学编"中对杜林庸俗经济学的反击

杜林在其政治经济学理论中依然充斥着形而上学和唯心主义的糟粕，最终导致其政治经济学理论的庸俗化。恩格斯在"政治经济学编"中，围绕政治经济学的研究对象和研究方法、杜林的唯心主义暴力论进行反击，他还将马克思所著的《评杜林〈国民经济学批判史〉》的内容作为第十章，以反击杜林对经济学史的错误论述，进而客观评价古典经济学家及其理论学说。

1. 批判杜林对研究对象和研究方法的主观想象，主张以历史为政治经济学研究的养料

通过前文对杜林在哲学方面充满形而上学和唯心主义色彩的分析，即他所提出的真理、自然规律、道德和法的永恒绝对性等，恩格斯认为**"杜林先生同样也会把经济学归结为各种最后的终极的真理、永恒的自然规律、同义反复的毫无内容的公理"**[①]。事实上，杜林对经济学的认识充斥着主观想象和形而上学，并自夸其经济学**"依据的是更高级的、在更高的研究领域中已被完成的真理"**[②]。然而，杜林首先在对政治经济学的研究对象和研究方法的认识上就出现了错误，恩格斯针锋相对地进行了反击。

---

①《马克思恩格斯选集》第3卷，人民出版社2012年版，第530页。
②《马克思恩格斯选集》第3卷，人民出版社2012年版，第531页。

第一，恩格斯批判杜林对政治经济学研究对象的错误认识，为政治经济学研究作出科学界定。杜林错误地将生产和交换合并为一，统称为生产，然后使分配与生产并列，将原本从生产和交换中产生出来的分配当作与这个过程毫不相干的、完全外在的另一个过程，导致错误认识政治经济学的研究对象。对此，恩格斯在第二编开头就明确指出："政治经济学，从最广的意义上说，是研究人类社会中支配物质生活资料的生产和交换的规律的科学。"[1]生产和交换是经济活动领域中两种不同的职能，二者相互依存不容混淆。"随着历史上一定社会的生产和交换的方式和方法的产生，随着这一社会的历史前提的产生，同时也产生了产品分配的方式方法"[2]，因此一定的分配方式总是同这个社会的物质生产条件相联系，一定会随着生产和交换的发展而发展，呈现出鲜明的历史性。

第二，恩格斯批判杜林对政治经济学研究方法的错误观点，明确提出经济学科的任务。杜林不关注人类迄今为止已经发生的历史和身边正在进行的经济活动，完全将生产和分配理论从经济学领域搬到道德与法的领域中，从需要依托客观事实进行小心求证的研究方法，变成只需要杜林主观臆断和夸夸其谈予以评价，这样杜林在政治经济学的研究方法上也是错误的。相反，恩格斯明确指出："这种诉诸道德和法的做法，在科学上丝毫不能把我们推向前进；道义上的愤怒，无论多么入情入理，经济科学总不能把它看做证据，而只能看做

①《马克思恩格斯选集》第3卷，人民出版社2012年版，第525页。

②《马克思恩格斯选集》第3卷，人民出版社2012年版，第526页。

象征。”[①]道德和法本身就是随着历史的发展而不断变化的，是无法作为政治经济学的研究方法的，当人对某种分配方式表达正义或非正义的观点时，总是在这种分配方式所基于的生产方式即将崩溃时，而事实上这种分配方式在出现之初就存在弊病，只有回归到人类历史、到社会实践中总结客观规律，才能发现这种分配方式甚至生产方式出现与灭亡的必然性。恩格斯进一步揭示了科学的政治经济学研究方法：“我们最好还是遵循现实的客观的经济规律，而不要遵循杜林先生关于正义和非正义的一时的、易变的主观想象”[②]；在此基础上，政治经济学的任务就是：“证明现在开始显露出来的社会弊病是现存生产方式的必然结果，同时也是这一生产方式快要瓦解的征兆，并且从正在瓦解的经济运动形式内部发现未来的、能够消除这些弊病的、新的生产组织和交换组织的因素。”[③]

2. 批判杜林唯心主义暴力论，主张从经济活动出发认识人类历史发展进程

恩格斯在“政治经济学篇”重点批判了杜林在《国民经济学和社会经济学教程》一书中提出的政治决定经济的暴力论思想，揭示了杜林将重大政治历史事件看作历史发展的决定因素是唯心史观的翻版，从而颠倒了经济与政治的关系的错误做法，阐发了暴力在社会发展中的重要作用，论证了经济决定政治、物质生产在历史中起决定作用等唯物史观的基本原理。

第一，恩格斯批判杜林政治决定经济的暴力论观点，阐明

①《马克思恩格斯选集》第3卷，人民出版社2012年版，第528页。
②《马克思恩格斯选集》第3卷，人民出版社2012年版，第536页。
③《马克思恩格斯选集》第3卷，人民出版社2012年版，第528页。

暴力是手段、经济是目的。杜林把政治关系说成是“历史上的最基础的东西”，把政治暴力说成是“本原性的东西”，用暴力解释人类历史上一切经济现象，提出了政治决定经济的暴力论思想。杜林事实上颠倒了经济与政治暴力的关系，恩格斯指出这种错误的根源在于杜林所认为的“暴力”就是国家的暴力机器——军队和武器，掌握暴力机器的人是少数的统治者，统治者通过暴力获取了大量财富并使被统治者遭受奴役，历史向前发展的动力就掌握在少数控制暴力的统治者手中，这种英雄史观是杜林唯心史观的表现之一。恩格斯梳理了军队和武器的发展历程，最终发现“在任何地方和任何时候，都是经济条件和经济上的权力手段帮助‘暴力’取得胜利，没有它们，暴力就不成其为暴力”[①]。无论是军队还是武器，暴力本身从不是目的，暴力也不是决定经济发展的根本力量，相反，没有经济作为支持，军队和武器都难以得到发展和壮大，而采用暴力手段的原因无非是为了谋取经济利益，因此“暴力仅仅是手段，相反，经济利益才是目的。目的比用来达到目的的手段要具有大得多的‘基础性’”[②]。

第二，恩格斯批判杜林认为暴力产生奴役的错误观点，论述奴役的产生是经济发展的产物。杜林认为，奴役制度是由暴力带来的，他将现代所有制叫作基于暴力的所有制，这种奴役是强迫人们从事奴隶的劳役。恩格斯认为：“为了能使用奴隶，必须掌握两种东西：第一，奴隶劳动所需的工具和对象；第

①《马克思恩格斯选集》第3卷，人民出版社2012年版，第551页。

②《马克思恩格斯选集》第3卷，人民出版社2012年版，第539页。

二，维持奴隶困苦生活所需的资料。”[1]这些，都需要奴隶主拥有一定的、超过平均水平的财产，“先要在生产上达到一定的阶段，并在分配的不平等上达到一定的程度，奴隶制才会成为可能”[2]，因此奴役并不因为暴力产生，而是生产力发展的结果。恩格斯还详细分析了阶级产生和私有制产生的原因、过程，进一步证明私有制的形成不是暴力的结果，而是经济发展的产物。在人类社会发展的历史长河中，“暴力虽然可以改变占有状况，但是不能创造私有财产本身”[3]，离我们最近的现代私有制，即雇佣劳动，也不能用暴力或者基于暴力的所有制来说明，“暴力仅仅保护剥削，但是并不造成剥削；资本和雇佣劳动的关系才是他受剥削的基础，这种关系是通过纯经济的途径而决不是通过暴力的途径产生的”[4]。

第三，恩格斯批判杜林将暴力看作“绝对坏事”的错误观点，分析了暴力在历史上的作用。在杜林看来，暴力导致了奴役，出现了剥削，是“绝对的坏事”，人类第一次使用暴力是原罪，“他的全部叙述只是哀诉这一暴力行为怎样作为原罪玷污了到现在为止的全部历史，一切自然规律和社会规律怎样被这种恶魔力量即暴力可耻地歪曲了”[5]。对此，恩格斯科学地论述了政治和经济的关系，在肯定经济发挥决定性作用的前提下，分析了暴力在历史上发挥的重要作用。暴力作为政治权力的表现，在私有制不断发展的背景下政治权力不断加强，

---

①②《马克思恩格斯选集》第3卷，人民出版社2012年版，第540页。

③《马克思恩格斯选集》第3卷，人民出版社2012年版，第542页。

④《马克思恩格斯选集》第3卷，人民出版社2012年版，第532页。

⑤《马克思恩格斯选集》第3卷，人民出版社2012年版，第564页。

反过来对经济社会发展产生作用。当政治权力按照合乎经济发展规律的方向发挥作用，经济就会快速发展；或者政治权力违反经济发展规律，经济与政治权力出现矛盾时，大部分情况下政治权力总是在经济发展的压力下陷于崩溃，**“经济发展总是毫无例外地和无情地为自己开辟道路”**[①]。因此，暴力并不一定是“绝对的坏事”，暴力的好坏并不由道德来决定，而在于它对经济和社会发展作用的性质。恩格斯更进一步指出：**“暴力在历史中还起着另一种作用，革命的作用；暴力，用马克思的话说，是每一个孕育着新社会的旧社会的助产婆；它是社会运动借以为自己开辟道路并摧毁僵化的垂死的政治形式的工具。”**[②]无产阶级和资产阶级之间的矛盾是不可调和的，必须通过暴力手段打碎资产阶级国家机器，建立无产阶级政权，为发展新的生产力开辟道路，这是必然实现的客观真理。

3. 批判杜林对经济学史的主观评判，主张以客观标准评判古典经济学家的理论贡献

本编第十章《〈批判史〉论述》是马克思撰写的，他在文中批判了杜林对经济学史的错误论述，阐述了配第、诺思、洛克、休谟等人在古典经济学产生过程中的地位和作用，还着重对被经济学界视为“不可解的斯芬克斯之谜”的魁奈的《经济表》作了深入的科学剖析，阐明了重农学派在政治经济学史上的理论贡献。

第一，马克思批判了杜林对古典经济学家的错误论述，客观评价了古典经济学家的历史地位和科学观点。杜林在其著

---

①《马克思恩格斯选集》第3卷，人民出版社2012年版，第563页。

②《马克思恩格斯选集》第3卷，人民出版社2012年版，第564页。

作《国民经济学批判史》中，沿着马克思在《政治经济学批判》中给出的古典政治经济学道路，“古典政治经济学在英国从威廉·配第开始，到李嘉图结束，在法国从布阿吉尔贝尔开始，到西斯蒙第结束”[①]，对诸多政治经济学先驱作出了错误的评判，并自称创立和发展了高级经济学且“完全没有先驱者”，马克思针对杜林在其著作中的自吹自擂和错误内容一一予以反击。

首先，马克思批判杜林对自己在经济学领域的吹嘘言论。尽管杜林承认“‘经济学说’是一种‘非常现代的现象’”[②]（而这一观点马克思早在《资本论》中已表达过），但他认为“高级经济学只是随着资产阶级科学在其古典时期结束之后所发生的可怜的流产才开始的”[③]，而高级经济学的创立和发展“是完全没有先驱者的”且其内部的批判观点“更是归我个人所有”。马克思指出政治经济学的确是一门在工场手工业时期才产生的科学，但“与此有关的原则和定理，能在例如古代希腊社会的著作家那里见到，只是由于一定的现象，如商品生产、贸易、货币、生息资本等等，是两个社会共有的”[④]。因此，现代经济学的观点绝不是无根之木、无源之水，而有其历史背景以及经济基础。

其次，马克思批判杜林对古希腊学者经济学观点的蔑视。杜林认为古希腊学者在经济学上毫无建树，马克思指出要立足于历史事实来认识色诺芬、柏拉图、亚里士多德关于分工的观点，这些观点在当时是天才的描述。

再次，马克思批判杜林对配第、布阿吉尔贝尔、洛克和休

①②《马克思恩格斯选集》第3卷，人民出版社2012年版，第609页。
③④《马克思恩格斯选集》第3卷，人民出版社2012年版，第610页。

谟的错误评判。杜林讽刺和矮化配第对古典政治经济学发展的奠基性贡献，特别是认为配第对价值概念没有定论，对配第所创造的“政治算术”抱以轻蔑的态度，马克思详细解读配第的观点并从洛克和诺思对配第思想的继承，来证明“无论赞成或者反对配第，总是从配第出发的”①；杜林对布阿吉尔贝尔与约翰·罗的关系作了错误判断，马克思以反讽的方式纠正了杜林的错误观点；杜林过分夸大休谟的经济学观点，但事实上休谟的观点漏洞百出，马克思指出“他的经济学论丛之所以能影响当时的知识界，不仅是因为卓越的表达方法，而且更多地还是因为他的论丛对当时繁荣起来的工商业作了进步的和乐观的赞扬”②，因此休谟的观点只是得到了资本主义社会的“赞许”，而休谟被杜林如此高度赞赏的原因不过是因为“这位‘认真的和缜密的思想家’荣幸地扮演了18世纪的杜林”③。

知识链接

★ 重农学派 ★

重农学派是18世纪50—70年代法国古典经济学派。当时法国处于封建主义过渡到资本主义的转变时期，农业在经济上占有很大优势。但是，法国国王路易十四和路易十五先后实行牺牲农业而发展工商业的重商主义政策，使农业遭到破坏而陷入困境，于是出现了反对重商主义政策、主张重视农业的重农主义学说，其理论基础

①《马克思恩格斯选集》第3卷，人民出版社2012年版，第621页。
②《马克思恩格斯选集》第3卷，人民出版社2012年版，第626页。
③《马克思恩格斯选集》第3卷，人民出版社2012年版，第628页。

是“自然秩序”论，即认为自然界和人类社会存在的客观规律是上帝制定的“自然秩序”，而政策、法令等是“人为秩序”，只有适应自然秩序，社会才能健康发展。

第二，马克思重点批判了杜林对魁奈《经济表》的错误认识，深入剖析了《经济表》的科学内涵。

魁奈作为法国重农学派的代表人物，其代表作《经济表》是经济学界的“斯芬克斯之谜”，很多学者对此研究却毫无结果。杜林试图用整整五页的篇幅来结束这一谜团，但事实上他却用夸张的言辞和重复的话语错误理解了魁奈在《经济表》中所阐发的经济学观点，对魁奈本人也没能作出正确的历史评价。例如，杜林认为魁奈始终围绕“货币价值”的概念来解释商品流通是源于“魁奈要避免国民经济收入的双重计算”[①]，但马克思指出魁奈已经在《经济表分析》中注明“在经济表图式的后面，各类产品作为‘自然对象’出现，而在前面，在经济表本身内出现的则是它们的货币价值”[②]，魁奈也让自己的助手标出了自然对象和货币价值等同的图式。

对于魁奈创作《经济表》的理论贡献，杜林认为《经济表》本身相当简单，在表中各种表示流通的线条不过是魁奈在研究化圆为方的问题，马克思指出事实上杜林自己也不知道其理论贡献到底是什么。基于此，马克思对《经济表》作了科学阐释。一是明确了《经济表》的理论意义，“就是要通过图解来清楚地说明：一个国家（实际上就是法国）每年的总产品，怎样

①《马克思恩格斯选集》第3卷，人民出版社2012年版，第630页。

②《马克思恩格斯选集》第3卷，人民出版社2012年版，第631页。

在这三个阶级之间流通，怎样为每年的再生产服务”[1]；二是厘清了重农学派区分的社会的三个阶级，即生产阶级——租地农场主和农业工人、占有地租的阶级——土地所有者、不结果实的阶级——工商业者；三是介绍一年总收成在各个阶级之间的流通过程，生产阶级向土地所有者支付地租，地租的一半用于土地所有者向生产阶级购买生活资料，剩余一半的地租用于土地所有者向工商业者购买工业品，工商业者用得到的地租向生产阶级购买生活资料，这样租地农场主用以交付地租的货币在社会三个阶级中转了一圈最终又回到他们手中，运动就此完成。马克思特别肯定了以魁奈为代表的重农学派在经济学史上的理论贡献，“经济表这种对于以流通为中介的年度再生产过程所作的简单的、在当时说来是天才的说明，非常准确地回答了这种纯产品在国民经济的循环中究竟成了什么这一问题”[2]。

知识链接 ……………………………………

★ 魁奈及其代表作《经济表》★

魁奈（1694—1774），法国重农学派的创始人和重要代表，其代表作《经济表》包含了魁奈经济理论的主要原则。《经济表》不仅仅是一幅单纯的图表，更是一种理论分析的工具，是为了解决当时法国的现实经济问题和振兴国民经济而制定出来的。它以简明扼要的形式，试图通过描述社会各阶级之间的商品流通运动，论证资本主

①《马克思恩格斯选集》第3卷，人民出版社2012年版，第632—633页。
②《马克思恩格斯选集》第3卷，人民出版社2012年版，第638—639页。

义社会生产和再生产的客观过程，阐明社会总产品的再生产及其在价值和实物形式上如何进行补偿的科学理论。

四、在“社会主义编”中对杜林冒牌社会主义的反击

杜林在其哲学和政治经济学的基础上，最终提出了其错误的社会主义观点，并自认为其社会主义学说是最后的终极真理。恩格斯在“社会主义编”中，针对杜林对三大空想社会主义者的攻击，对资本主义生产方式的非历史性的错误理解，以及对未来国家制度的主观臆想展开批判，进而系统清晰地阐明科学社会主义的基本原理。

1. 批判杜林对三大空想社会主义者的无知，客观评价三者重要的理论地位与时代价值

恩格斯在回顾科学社会主义的重要思想来源时，清醒地认识到圣西门、傅立叶、欧文这三大空想社会主义者的出现是人类首次运用理性对理性世界进行反思。他们发现了启蒙学者每日用华美语言讴歌的新社会竟是一幅令人极度失望的讽刺画，阶级对立日趋严重，犯罪现象年年增长，劳动群众更加贫苦，商业日益变成欺诈，等等。进入19世纪，对此表示失望的人对资本主义制度展开了辛辣抨击，对未来理想社会进行美好构想，同时恩格斯也指出他们的历史局限性，“不成熟的理论，是同不成熟的资本主义生产状况、不成熟的阶级状况相适应的。解决社会问题的办法还隐藏在不发达的经济关系中，所以只能从头脑中产生出来”[①]。尽管如此，恩格斯认为依

①《马克思恩格斯选集》第3卷，人民出版社2012年版，第645页。

然不能否认空想社会主义者在当时提出这些天才思想的创举，但杜林却只会抽象地不顾历史地去挑剔这些先驱，恩格斯对此进行一一驳斥。

第一，介绍圣西门正确处理经济与政治关系的天才眼光，批判杜林对圣西门思想的无知。恩格斯指出，“在1816年，圣西门宣布政治是关于生产的科学，并且预言政治将完全溶化在经济中”[①]，这可以说是经济状况是政治制度的基础这样科学观点的较早表述，并且圣西门也明确表达了“对人的政治统治应当变成对物的管理和对生产过程的领导”[②]，即废除国家的思想。圣西门还对当时的革命战争局势作出了正确判断和战略谋划，恩格斯指出，“这比起向德国的教授们宣布进行一场舌战，当然是需要有更多一点勇气的”[③]。杜林则完全忽视了这些天才观点，他煞有介事地评述着圣西门的“基本思想”，但评价空洞无物，本质上是对圣西门思想的无知。

第二，介绍傅立叶对社会问题的深刻批判及其关于社会历史的科学看法，批判杜林对傅立叶思想研究的偏颇。傅立叶抓住资产阶级所说的话，特别是那些资产阶级革命前的狂热预言和革命后得到利益的奉承者的话，用法国人特有的风趣幽默却又不失深刻的话语，辛辣地嘲讽现存社会制度。恩格斯还指出：“傅立叶最了不起的地方表现在他对社会历史的看法上。他把社会历史到目前为止的全部历程分为四个发展阶段：蒙昧、野蛮、宗法和文明。最后一个阶段就相当于现在所谓的资产阶级社会。”[④]傅立叶发现现代社会存在着无法克

①②③《马克思恩格斯选集》第3卷，人民出版社2012年版，第646页。

④《马克思恩格斯选集》第3卷，人民出版社2012年版，第647页。

服的矛盾，如贫困是由过剩本身产生的，他用辩证法的眼光发现了资本主义社会自身无法克服的弊病，“正如康德把地球将来会走向灭亡的思想引入自然科学一样，傅立叶把人类将来会走向灭亡的思想引入历史研究。”[①]然而，如此重要的思想观点在杜林那里却没有得到重视，杜林更注重的是**“那些描绘得像小说中的情节一样的关于未来的幻想”**[②]，而事实上这些只是附带的内容而已。

第三，介绍欧文所进行的共产主义实验和伟大的共产主义转向，批判杜林对欧文思想了解的匮乏。英国进行的工业革命同样带来更加严重的社会问题，**“社会越来越迅速地分化为大资本家和一无所有的无产者”**[③]，中间还夹着不稳定的手工业者和小商人群体。欧文并没有像其他工厂主那样想借工业革命大发横财，他认为**“工业革命是运用他的心爱的理论并把混乱化为秩序的好机会”**[④]。此后，欧文在他的工厂中进行了长达29年的共产主义实验，他在实验中进行面向实际的、以共产主义为目标的商业计算，做好各种制度上的细节安排。此后，在欧文转向共产主义时，尽管他知道他将面临着官方社会的诸多磨难以及实验失败后的一贫如洗，他依然没有怯步，直接在工人阶级中又进行了30年的活动。杜林在评述欧文时明显展现出对相关著作文献的无知，恩格斯指出杜林要么看的是不成熟的二手资料，要么**“只看看标题或最多还看看少数著作中的**

---

①《马克思恩格斯选集》第3卷，人民出版社2012年版，第648页。

②《马克思恩格斯选集》第3卷，人民出版社2012年版，第652页。

③《马克思恩格斯选集》第3卷，人民出版社2012年版，第648页。

④《马克思恩格斯选集》第3卷，人民出版社2012年版，第649页。

提要，那么确实只会作出这种愚蠢的和纯粹杜撰的断语”[①]。

恩格斯认为，空想社会主义者之所以是“空想”，是因为他们的思想产生于资本主义生产还不甚发达的时代，但在时过80年后，杜林仍然要从头脑中而不是根据现有的历史材料构想出一个新社会，“那么，到处嗅出模仿者的杜林先生本人则只不过是空想主义者的模仿者，最新的空想主义者”[②]。

2. 批判杜林的资本主义生产永恒论，鲜明揭示资本主义基本矛盾与其灭亡的必然趋势

恩格斯批判杜林对资本主义生产方式的错误认识，指出“杜林的经济学归结为这样一个命题：资本主义的生产方式很好，可以继续存在”[③]，并阐明了科学社会主义产生的社会经济根源，用唯物史观剖析了资本主义的基本矛盾，揭示了资本主义产生、发展和灭亡的规律，论证了资本主义为共产主义所取代的必然性。

第一，揭示科学社会主义产生的社会经济根源。杜林认为，“社会主义根本不是历史发展的必然产物，更不是粗糙物质的、单纯为了喂饱肚子的现代经济条件的产物”[④]，他的社会主义思想是“最后的终极的真理”。恩格斯批判道：“杜林先生创造自己的社会主义，正如创造其他一切一样，是通过他的著名的两个男人进行的。这两个傀儡不是像过去那样扮演主人和奴隶的角色，这次变换了角色，这两个傀儡上演了一出表现

①《马克思恩格斯选集》第3卷，人民出版社2012年版，第653页。

②《马克思恩格斯选集》第3卷，人民出版社2012年版，第654页。

③《马克思恩格斯选集》第3卷，人民出版社2012年版，第686页。

④《马克思恩格斯选集》第3卷，人民出版社2012年版，第672页。

权利平等的戏——于是杜林的社会主义的基础就奠定了。”[①]事实上，一切社会变革的终极原因都不应该在抽象的思维中寻找，而应该在现实的有关时代的经济中寻找，科学社会主义产生的根源绝不是杜林所说的“权利平等”或道义上的诉求，而是源自现实的社会经济矛盾。因此，恩格斯明确指出：“现代社会主义不过是这种实际冲突在思想上的反映，是它在头脑中，首先是在那个直接吃到它的苦头的阶级即工人阶级的头脑中的观念上的反映。”[②]

第二，揭示资本主义生产方式的两大基本矛盾及其必然灭亡的趋势。杜林无法认识到资本主义生产方式本身存在的不可调和的矛盾，因此他无法得到资本主义生产方式必然灭亡的科学结论。马克思、恩格斯对这个问题作出了科学且详细的解答。资本主义生产方式主要存在两个不可调和的“冲突”（这是前文所述的科学社会主义的产生源泉）：一是社会化生产和资本主义占有之间的矛盾表现为无产阶级和资产阶级的对立，即“生产资料和生产实质上已经社会化了。但是，它们仍然服从于这样一种占有形式，这种占有形式是以个体的私人生产为前提”，“生产方式虽然已经消灭了这一占有形式的前提，但是它仍然服从于这一占有形式”[③]；二是个别工厂中生产的组织性和整个社会中生产的无政府状态之间的对立，即“社会生产的无政府状态已经表现出来，并且越来越走向极端。但是，资本主义生产方式用来加剧社会生产中的这种无

①《马克思恩格斯选集》第3卷，人民出版社2012年版，第672页。
②《马克思恩格斯选集》第3卷，人民出版社2012年版，第656页。
③《马克思恩格斯选集》第3卷，人民出版社2012年版，第658页。

政府状态的主要工具正是无政府状态的直接对立物：每一个单个生产企业中的生产作为社会化生产所具有的日益加强的组织性”[①]。资本主义生产方式自身无法解决这两个矛盾，造成“恶性循环”，愈发严峻的环境污染、庞大的产业后备军、周期性的经济危机出现，尽管资产阶级及其保护者“国家”会通过股份制、国有化等形式给这种生产方式“松绑”，但“生产方式起来反对交换方式，生产力起来反对已经被它超过的生产方式”[②]是生产力继续发展的唯一先决条件，是一种历史的必然，因此资本主义生产方式和与此相关的分配制度、国家制度都必然走向灭亡。

3. 批判杜林抽象的共同社会，科学预言未来共产主义制度的基本特征

恩格斯最后从经济、国家、宗教、家庭、教育等方面系统批判了杜林所构想的抽象的“共同社会”，指出杜林在哲学和经济学的基础上臆想出来的未来社会样貌是“无法理解的科学上的谬误和武断”[③]。恩格斯在批判杜林的同时，科学预言了未来共产主义社会的一些基本特征。

第一，批判杜林所构想的未来经济公社，阐述了未来社会的经济制度样貌。在杜林看来，未来共同社会的经济公社是建立在“普遍的公平原则”基础之上的，分配不是由生产来决定，而纯粹由意志行为来决定，对此他提出了三种错误观点。一是未来经济公社的成员是以等量劳动来进行分配，例如一

①《马克思恩格斯选集》第3卷，人民出版社2012年版，第660—661页。

②《马克思恩格斯选集》第3卷，人民出版社2012年版，第664页。

③《马克思恩格斯选集》第3卷，人民出版社2012年版，第714页。

名社员一天劳动6小时获得12马克，最终应该分配给他可以自由处置的12马克。恩格斯指出，这样就无法形成社会进步所必须的积累。杜林的解决方案是"课税"，即向其他经济公社卖出产品时加价。如果全部经济公社都这样做，那么，最终"课税"依然会落到公社社员的身上，这与当前社会的税负没有任何区别。二是杜林认为未来社会的交换仍然是以金属货币为中介的。对此，恩格斯认为未来社会应该使用记录劳动时长的"劳动券"而非金属货币，金属货币在未来社会的存在只能使高利贷和金融资本再度死灰复燃。三是杜林仍然要在劳动中引入"价值"的概念，恩格斯指出，**"经济学所知道的唯一的价值就是商品的价值"**[①]，"价值"概念的引入必然引入"私人劳动"和"社会劳动"，商品交换迂回地以价值为中介，就会再度引发货币的产生和资本主义制度的反复。事实上，未来社会的经济活动不再需要以价值为中介，因而也不再需要货币的出现，**"直接的社会生产以及直接的分配排除一切商品交换，因而也排除产品向商品的转化（至少在公社内部），这样也就排除产品向价值的转化"**[②]。

第二，批判杜林对未来国家制度的安排，揭示了未来共产主义社会的图景。杜林在《哲学教程》中对未来国家制度作出了详细的规定，内容极为庞杂，但谬误百出，恩格斯对其错误观点一一作出回应。一是批判杜林的"个人的主权"理论。杜林认为"个人的主权"是未来国家制度的基础，他不断强调，在未来共同社会的多数人统治下，"个人的主权"不应该被压制，

①《马克思恩格斯选集》第3卷，人民出版社2012年版，第694页。

②《马克思恩格斯选集》第3卷，人民出版社2012年版，第696页。

未来的立法和司法、军队、警察和宪兵应该在集体的掌握之中，集体作出的决断一定是正义的才能要求个人服从。恩格斯指出，未来社会根本就不存在国家，国家不是“被废除”的，它是自行消亡的，应该以此来衡量“自由的人民国家”这个用语。二是批判杜林对宗教进行强行消灭的错误观点。杜林认识到宗教的问题，但他不能静待宗教的自然死亡，“他颁布了更严厉的五月法令，不仅反对天主教，而且也反对一切宗教；他唆使他的未来的宪兵进攻宗教”①。但事实上，宗教的产生与消亡不是凭人的主观愿望或蛮力解决的，宗教源自社会现实基础，仅仅批判宗教而不推翻现实基础是无济于事的。三是批判杜林对未来家庭形式的错误认识。杜林认为家庭形式是不可改变的，并且认为家庭只是“继承遗产”的单位，即拥有财产的单位。恩格斯指出，家庭形式和其他一切上层建筑一样会随着经济基础改变而相应改变，现代家庭将在未来共产主义社会演变为更高级的形式。此外，恩格斯还针对杜林对未来共同社会的教育制度、婚姻制度等问题的错误观点予以详尽且犀利的批判，并强调，“我们在这里决不是设计未来的大厦。我们只是采用杜林先生的假设，并且从中作出不可避免的结论”②。恩格斯最后指出，只有到了共产主义社会，人们才能完全自觉地自己创造自己的历史，“这是人类从必然王国进入自由王国的飞跃”③。

①《马克思恩格斯选集》第3卷，人民出版社2012年版，第705页。

②《马克思恩格斯选集》第3卷，人民出版社2012年版，第691页。

③《马克思恩格斯选集》第3卷，人民出版社2012年版，第671页。

五、恩格斯对杜林错误思想进行论战的整体性审视

尽管《反杜林论》是恩格斯针对杜林主义的一部论战性著作，但恩格斯通过批判，在这部著作中第一次系统、明确、深入地阐明了马克思主义的三个主要组成部分——哲学、政治经济学和科学社会主义的基本原理及其内在关系，揭示了辩证唯物主义和历史唯物主义是唯一科学的世界观和方法论，是马克思主义政治经济学和科学社会主义的理论基础。恩格斯以通俗易懂的语言和简洁严密的思路，有力地推动了马克思主义逐步体系化、大众化。马克思在1877年对恩格斯的工作给予高度评价，他指出，“不仅普通工人”，“而且真正有科学知识的人，都能够从恩格斯的正面阐述中汲取许多东西”①。

1. 从唯心史观到唯物史观：共产主义世界观的确立与阐发

纵观恩格斯对杜林在哲学、政治经济学和社会主义领域的错误思想的批判，可以看到杜林所犯错误的根本原因是没有树立科学的世界观，他始终从唯心主义的视角来看待自然界、人类社会和人的思维。首先，在哲学领域，杜林认为原则可以先验地、不利用外部世界给我们提供的经验而从头脑中构思出来，表现为先验唯心主义的观点；在政治经济学领域，杜林认为生产和交换应放到道德领域中衡量，并坚持“暴力论”观点，错误地认为政治暴力决定经济发展，对古典政治经济学家的评判也完全出自其个人好恶和主观臆断，不能从历

①《马克思恩格斯全集》第34卷，人民出版社1972年版，第242页。

史的客观的视角来认识经济学先驱的科学观点；在社会主义领域，杜林同样无法对空想社会主义者作出客观公正的历史性评价，认识不到科学社会主义思想来源的社会存在本质，更不能理解生产决定分配、经济基础决定上层建筑的科学原理，因而杜林只能在唯心史观的错误指导下对未来共同社会作出错误判断和空想。

要彻底批判资本主义就必须树立科学的世界观。恩格斯不仅同一切反对资本主义制度的思想家一样，生动地揭露资本主义的矛盾和弊病，更从理论上深刻地认清现代资本主义问题的症结所在，而做到这一点正是源于恩格斯始终坚持用历史唯物主义的科学世界观分析现存社会问题，并对以先验唯心主义认识世界的杜林进行批判与纠正。首先，在论述马克思主义哲学的唯物主义本质时，恩格斯指出存在是第一性、思维是第二性，存在决定思维，阐述了“世界的统一性在于它的物质性”“一切存在的基本形式是时间和空间”等一些系列辩证唯物主义的基本原理。其次，在阐发马克思主义政治经济学的基本原理时，恩格斯指出，“政治经济学本质上是一门历史的科学”[①]，研究政治经济学要“遵循现实的客观的经济规律”[②]；同时恩格斯明确反对杜林的“暴力论”，阐明“暴力仅仅是手段，相反，经济利益才是目的”[③]的观点，对暴力在人类社会历史上所发挥的作用予以客观、历史的评价。最后，在描绘未来共产主义社会的整体图景时，恩格斯肯定了空想社会主

①《马克思恩格斯选集》第3卷，人民出版社2012年版，第525页。
②《马克思恩格斯选集》第3卷，人民出版社2012年版，第536页。
③《马克思恩格斯选集》第3卷，人民出版社2012年版，第539页。

义先驱的历史地位，用唯物史观和剩余价值理论揭示了资本主义生产方式的基本矛盾，基于此，论证了无产阶级的历史使命和资本主义被共产主义所取代的历史必然性，指出其所阐述的科学社会主义具有深厚的社会现实基础。

恩格斯在序言中写道：**“本书所阐述的世界观，绝大部分是由马克思确立和阐发的，而只有极小的部分是属于我的。”**[①]唯物史观创立于1845—1846年马克思、恩格斯两人合作撰写《德意志意识形态》，此后唯物史观始终指导着马克思、恩格斯的革命实践和理论创新，并在这一过程中不断发展历史唯物主义。可以说，历史唯物主义是马克思、恩格斯两人的共同思想创造。恩格斯在《反杜林论》中对唯物史观的始终坚守和充分运用，既有力证实了唯物史观的科学性，又充分彰显了唯物史观是整个马克思主义理论体系的基石。

2. 从形而上学到辩证方法：马克思主义科学方法的产生与运用

恩格斯指出，杜林之所以陷入先验唯心主义的错误，根源在于他完全形而上学地而非历史地看待事物，将意识、思维当成某种现成的东西，而不去考虑意识产生和发展的过程，不能辩证地理解思维和存在的对立统一关系。因此，杜林的形而上学的思维方式决定了他必然在各个领域都产生谬论。首先，在哲学上，杜林无法认识唯物主义与辩证法的统一，无法理解事物是运动变化发展的，因此杜林不承认矛盾的存在，不理解真理与谬误在一定条件下可以相互转化，只能得出“永恒

①《马克思恩格斯选集》第3卷，人民出版社2012年版，第383页。

真理”与“永恒道德”的观点。其次，在政治经济学上，杜林的唯心主义暴力论认为暴力是绝对坏的东西，造成了人被奴役的状态，是人类的原罪。最后，在社会主义学说上，杜林对资本主义生产方式的认识是静止的，无法预见这种生产方式走向灭亡的必然性，不能理解生产与分配、经济基础与上层建筑的对立统一关系，因而杜林的冒牌社会主义只能是不切实际的空想。

唯物史观的创立及其在现代社会中的应用，只有借助于辩证法才有可能。恩格斯指出，“现代唯物主义本质上都是辩证的”[①]，这说明不仅要在自然观上坚持辩证思维方式，在历史观上也要以辩证的思维方式为前提，马克思、恩格斯正是在唯物主义的基础上，从黑格尔哲学中拯救了辩证法，并将其运用于人类历史研究中，这不仅超越了旧唯物主义的机械性，更超越了17世纪以来西方思想界风靡的形而上学思维方法和唯心主义历史观。恩格斯在对杜林三个板块内容的批判中始终贯彻了辩证法的科学思维方式。首先，恩格斯在哲学领域的论战中首先表明马克思主义哲学是承认矛盾和运动的辩证理论，在真理和谬误的问题上否定杜林的“永恒真理论”，坚持真理的相对性。其次，恩格斯在政治经济学领域的论战中论述了政治与经济的关系，在肯定经济起决定作用的前提下，分析了暴力在历史上的作用，指出暴力不是绝对的坏事。最后，恩格斯在社会主义领域的论战中辩证分析了资本主义生产方式的基本矛盾，一方面说明资本主义生产方式在一定历史时期

---

①《马克思恩格斯选集》第3卷，人民出版社2012年版，第400页。

的必然性，另一方面揭示出资本主义生产方式终将走向灭亡的必然性，最终在“两个必然”中找到解决矛盾的手段。

正如恩格斯在“引论”中所说，辩证法早在古希腊先哲那里就已经出现，只是到了近代自然科学蓬勃发展之后，受实证科学的影响，作为思维方式的形而上学代替了辩证法的优良传统，很多与马克思、恩格斯同时代的思想家都囿于形而上学的思维方式，只抓住人类社会的某一片段而以偏概全，因此对现存社会制度的认识或批判也只能是浮于表面或完全错误的。黑格尔率先恢复了辩证法的科学传统，马克思、恩格斯继承了辩证法这一科学思维方式，恩格斯的《反杜林论》中处处闪耀着辩证法的科学光芒。

3. 从消极批判到积极批判：马克思主义的正面阐述与体系化进程

《反杜林论》作为一部论战性著作，长期以来最引人注目之处正是恩格斯在文中对马克思主义科学理论的正面阐发，而不是对与杜林论战本身的兴趣。恩格斯自己也指出，“本书所批判的杜林先生的‘体系’涉及非常广泛的理论领域，这使我不能不跟着他到处跑，并以自己的见解去反驳他的见解。因此消极的批判成了积极的批判；论战转变成对马克思和我所主张的辩证方法和共产主义世界观的比较连贯的阐述，而这一阐述包括了相当多的领域”[1]。同时，恩格斯也提醒读者“尽管这本书的目的并不是以另一个体系去同杜林先生的‘体系’相对立，可是希望读者不要忽略我所提出的各种见解之间

①《马克思恩格斯选集》第3卷，人民出版社2012年版，第383页。

的内在联系”[1]。因此，当我们深入研读这部论战性著作时，除了可以感受到恩格斯对杜林错误观点的犀利批驳和有力回击外，更重要的是，此书回顾了马克思主义最为详尽的基本原理，在论战中检验了马克思主义理论的科学性和革命性。

尽管恩格斯认为自己撰写《反杜林论》的目的并非是故意创造一个体系，与杜林的体系相对立，但在对马克思主义的正面阐述中，他已经开启了对马克思主义体系化的有益尝试，这成为恩格斯晚年对马克思主义最大的理论贡献之一。恩格斯推动马克思主义体系化主要表现在三个方面。一是揭示马克思主义哲学、马克思主义政治经济学和科学社会主义形成的思想史背景。恩格斯在每一编中都涉及对该领域重要思想家、先驱及其相关思想成果的历史评价，对各个领域的思想史作了较为详尽的、逻辑清晰的梳理，为马克思主义在各个领域的创新成果做好理论铺垫，也彰显了马克思主义对已有人类思想成果的批判性继承和创新性发展。二是归纳马克思主义哲学、马克思主义政治经济学和科学社会主义三个重要组成部分的基本原理。恩格斯在论战中既斩钉截铁地批判杜林的错误思想，又旗帜鲜明地提出马克思主义的科学观点，其中一些关于基本原理的确切表述已经成为今天研究和宣传马克思主义的经典表达。三是构建“马克思主义哲学—马克思主义政治经济学—科学社会主义”三者相互关联的整体性架构。恩格斯提醒读者不要忘记他所提出的各种见解之间的联系，尽管在文中恩格斯没有用专门的篇幅来谈论哲学、政治经济

---

①《马克思恩格斯选集》第3卷，人民出版社2012年版，第380页。

学以及社会主义三编内容的关系(因为体系化的过程不是刻意为之的先验性结构,而是基于理论和实践需要逐步形成和发展起来的结构,其必然内含着紧密的逻辑关联),但从篇章结构的设置以及恩格斯的论述来看,可以得出:唯物辩证法和唯物史观奠定了科学认识社会的理论基础,在认识资本主义社会时发现了剩余价值,唯物史观与剩余价值学说的创立使社会主义从空想变为科学。

恩格斯撰写《反杜林论》的最初目的是为了应对杜林主义对德国社会主义工人党造成的思想危害,捍卫马克思主义的科学性和影响力,但正如恩格斯自己所说的,"消极的批判成了积极的批判"①,从消极应对变成了主动出击、正面阐发立场和观点,借助批判杜林的思想体系逐步推动马克思主义的体系化进程。列宁对此评价道,"这是一部内容十分丰富、十分有益的书"②,同《共产党宣言》一样,是"每个觉悟工人必读的书籍"③。

延伸阅读

(1) 恩格斯:《社会主义从空想到科学的发展》,《马克思恩格斯选集》第3卷,人民出版社2012年版,第741—817页。

(2) 列宁:《马克思主义的三个来源和三个组成部分》,《列宁选集》第2卷,人民出版社2012年版,第309—314页。

---

①《马克思恩格斯选集》第3卷,人民出版社2012年版,第383页。

②《列宁选集》第1卷,人民出版社2012年版,第94页。

③《列宁选集》第2卷,人民出版社2012年版,第310页。

深度思考

（1）如何理解恩格斯所说的唯物史观和剩余价值理论的发现，使社会主义从空想变为科学？

（2）如何看待黑格尔哲学对于马克思主义哲学、古典政治经济学对于马克思主义政治经济学、空想社会主义对于科学社会主义的重要理论意义？

（3）如何认识恩格斯推动马克思主义的体系化进程？

第三章

祛魅与超越
——《反杜林论》的理论意义与历史意义

《反杜林论》是马克思主义发展史上的一座丰碑，它以丰富的思想内涵和科学的思维方法向我们展现了马克思主义不可磨灭的光辉真理，昭示着共产主义的璀璨未来。它不仅彻底粉碎了杜林对马克思主义的猖狂进攻，为坚决反对机会主义、领导未来各国革命奠定了思想基础，也捍卫了马克思主义的世界观，使马克思主义得到了更为广泛的传播和运用，具有重要的理论价值和指导意义。

一、还原本真，阐释和捍卫马克思主义的真理性

《反杜林论》是严格科学性和高度理论性相统一的典范。恩格斯对杜林的批判，不是内心冲动的产物，也不是为了批判而批判，而是严肃科学的批判态度和深厚的唯物主义理论素养的思想结晶。恩格斯在《反杜林论》中，强调他和马克思创立的唯物主义，“已经根本不再是哲学，而只是世界观，这种世界观不应当在某种特殊的科学的科学中，而应当在各种现实的科学中得到证实和表现出来”[①]。同时他在该书的序言中再次强调他与马克思的学说是科学的世界观，并且马克思主义不是教条的，它需要跟着实践的不断变化去灵活运用。《反杜林论》以论战的形式，沿着杜林理论体系的逻辑思路对杜林及其思想体系进行了全面的批判，充分展现了马克思主义哲学是辩证的、历史的、科学的唯物主义理论。正如恩格斯所说，“消极的批判成了积极的批判；论战转变成对马克思和我所主张的辩证方法和共产主义世界观的比较连贯的阐述”[②]。也正是在这

①《马克思恩格斯选集》第3卷，人民出版社2012年版，第517页。

②《马克思恩格斯选集》第3卷，人民出版社2012年版，第383页。

一批判过程中，恩格斯不仅彻底地批判了杜林学说，而且充分阐述了马克思主义理论的基本观点，有效地捍卫了马克思主义理论的真理性。

恩格斯在批判杜林唯心主义先验论、世界模式论等荒谬学说的过程中，阐述了马克思主义哲学的辩证唯物主义原理，形成了科学化、理论化的马克思主义哲学思想。在“哲学编”中，恩格斯批判杜林本体论中的唯心主义，阐述唯物主义反映论的基本原理，阐明世界真正的统一性在于它的物质性；针对杜林在时空、运动、生命起源和本质问题上的形而上学思想进行批判，指出时间和空间是运动着的物质存在的基本形式、运动是物质的本质属性、生命的产生和本质；批判杜林形而上学的真理观，论证真理的辩证性以及道德的历史性和阶级性；批判杜林唯心主义的平等观，揭露资产阶级平等观的实质以及无产阶级平等观的根本任务，阐明了自由和必然的辩证关系，深刻影响了马克思主义哲学思想体系的形成。恩格斯也在书中指出，马克思主义哲学已经不是原来意义上的哲学，它既不是包罗万象的、最终完成的关于自然和历史的认识的体系，也不是凌驾于其他科学之上的所谓“科学的科学”。它概括了自然科学的最新成就，把历史看作人类的发展过程并揭示了这个过程的运动规律。

恩格斯以大量翔实的事例和资料，驳斥了杜林的庸俗经济学观点，从正面完整简明地阐释了马克思《资本论》中的基本概念和原理。杜林歪曲政治暴力和经济的关系，夸大暴力的作用，否定经济的决定性作用，攻击作为马克思主义经济理论大厦的基石的劳动价值学说和剩余价值学说。在“政治经济学编”中，恩格斯阐述了政治经济学的对象和方法，科学地说明了政治经济学的历史性和阶级性，批判了杜林在政治经济学上的先验主义和形而上学观点；论述了政治经济学的主要范畴和基本原理，包括劳动价值论、剩余价值论、地租理论和经济规律等，批判了杜林的庸俗政治经济学；梳理了政治经济学说史，重点批判了杜林的历史虚无主义，促进了马克思主义政治经济学说的传播。

恩格斯批判了杜林的冒牌社会主义，总结了社会主义从空想到科学的发展过程，论述了科学社会主义的基本理论。在“社会主义编”中，恩格斯反驳了杜林等人对于空想社会主义者的思想的歪曲与误解，批驳了杜林关于生产与分配、国家制度、家庭与教育等观点，揭露了杜林仍然没有从根本上剔除资本主义生产的弊端，其实质还是空想的，指出生产以及生产带来的产品交换是社会制度的基础，阐明了科学社会主义产生的社会经济根源，指明社会主义应“求助于理性来构想”，从“有关时代的经济”或现实社会的“经济的事实”中去寻找与发现，而非“从头脑中构想”。恩格斯从历史唯物主义的哲学和马克思主义政治经济学的逻辑论证思路出发，不但让科学社会主义有了可靠的理论基础，而且通过三者之间的相互关联更进一步彰显出马克思主义理论体系的科学性。

二、走向澄明，指引世界无产阶级革命运动发展

通过批判杜林关于哲学和政治经济学的错误观点，恩格斯为科学社会主义理论的阐释提供了基础前提。在“社会主义编”中，恩格斯提出社会主义取代资本主义的历史必然性、

阶级斗争是阶级社会发展的直接动力、无产阶级是社会主义的实现力量等观点，这就划清了科学社会主义与其他社会主义思潮的界限，揭示了社会发展的客观规律和内在动力，宣告了无产阶级的历史使命和奋斗目标，为无产阶级的革命斗争指明了前进方向。《反杜林论》促使革命的工人阶级认识到：马克思主义本质上是一种完整的世界观，马克思主义政治经济学对于工人阶级理解自己的历史使命具有重要的意义。只有马克思主义的政治经济学说才能阐明无产阶级在整个资本主义制度中的真正地位。事实上，很多人正是因为阅读《反杜林论》，才开始了对《资本论》的学习。

《反杜林论》的诞生对于德国社会主义工人党肃清杜林主义的影响，维护马克思主义的世界观，实现党内思想正本清源的成效是显著的。据李卜克内西、伊·奥艾尔等人描述，无论是德国社会主义工人党的领导干部还是普通党员和工人群众，都纷纷通过学习《反杜林论》在思想认识上达成统一，克服了因处于资本主义"和平"发展时期而滋生的机会主义思想的影响，从而有力地推动了工人阶级政党的思想统一和内部团结，杜林在党内的影响日渐式微。列宁指出："一切富有生命力的社会主义者（当然是以倍倍尔为首）很快就认识到这些'新'理论的十足的腐朽性，并与这些理论和一切无政府主义的意图一刀两断。"[①]比如，倍倍尔曾为杜林主义站台，后随着马克思、恩格斯的警告批评和恩格斯对杜林批判的深入逐渐认清了杜林主义的实质，认识到马克思和恩格斯的批评是正

①《列宁全集》第23卷，人民出版社1990年版，第386页。

确的；白拉克、希尔施和李卜克内西等人也在论战中受到了理论教育，并把党引上了正确的道路；尚处青年的考茨基通过《反杜林论》系统学习了马克思主义。《反杜林论》在思想上的贡献、在哲学上的创见得到了德国理论家们的认可与贯彻。德国《前进报》《新时代》等刊物在宣传《反杜林论》时突出强调这本书在社会主义著作中的重要地位，认为它能抵御一切冒牌社会主义者的侵袭。

《反杜林论》所展现的思想价值不仅体现在德国工人阶级政党建设中，还大大地推动了马克思主义在国际工人运动中的贯彻，坚定了各国无产阶级政党争取革命胜利的信心。正如恩格斯在第三版序言中所说的，该书“所主张的观点已经深入科学界和工人阶级的公众意识，而且是在世界上一切文明国家里”[①]。《反杜林论》作为论述科学社会主义的重要文献为各国的社会主义论战与实践所运用。比如弗兰茨·梅林在同普鲁士军事国家的论战和反对阿·瓦格纳对社会主义的诽谤中，详尽阐述了自由和必然的辩证关系。又如1884年初和1884年夏，拉法格根据《反杜林论》对唯物史观的阐述在法国工人党“社会主义图书馆”巴黎小组作了关于历史唯物主义的报告，该报告后由《社会民主党人报》连续发表，并在两年后发行单行本。再如，普列汉诺夫等人曾在著作中一再运用《反杜林论》中的哲学观点与唯心主义、资产阶级意识形态进行斗争。拉甫罗夫、M.柯瓦列夫斯基、H.И.季别尔等人在读过《反杜林论》后很快将该书推介给国内革命家，《反杜林论》的节译

①《马克思恩格斯选集》第3卷，人民出版社2012年版，第390页。

本和全译本陆续在俄国问世并大量印刷出版，成为俄国马克思主义者的思想武器。《反杜林论》还是苏联哲学教科书体系编写的重要蓝本。1938年，斯大林的《论辩证唯物主义和历史唯物主义》出版，确立了苏联马克思主义哲学的教科书体系范式，许多论述提法、内在思路与《反杜林论》存在诸多契合。苏联马克思主义哲学教科书对中国马克思主义哲学教科书的编写具有直接或间接的影响，是中国知识分子了解马克思主义哲学的重要渠道。

三、薪火相传，促进马克思主义的体系化大众化

《反杜林论》充分体现了马克思主义的体系化与大众化特征，这也使此书赢得了可以比肩《共产党宣言》的影响力，列宁认为本书**“分析了哲学、自然科学和社会科学中最重大的问题”**[①]，是“每个觉悟工人必读的书籍”，直到今天，它仍然是我们研究马克思主义科学理论的必读书目。

一方面是马克思主义的体系化。在《反杜林论》中，恩格斯把马克思主义分为三个组成部分：哲学、政治经济学和社会主义。这是今天所说的马克思主义三大组成部分的最早表述。这本书第一次全面系统地阐述了马克思主义的三个组成部分：哲学、政治经济学和社会主义。列宁在《马克思主义的三个来源和三个组成部分》一文中，沿用了恩格斯的这一划分。对于这种划分，要认识到马克思主义作为“解释世界和改造世界相统一”的学说，是以现实社会发展的实践和问题为中

①《列宁选集》第1卷，人民出版社2012年版，第94页。

心，而非以学科为中心来建立自己的思想体系的。在他那里，哲学、政治经济学和科学社会主义这三个组成部分之间是有机融合、浑然一体的，共同构成了马克思主义理论的科学体系。

从恩格斯本人思想发展的原初语境看，他无意于构造一个涵盖哲学、政治经济学和科学社会主义的庞大体系，他的任务在于通过揭示资本主义社会的内在矛盾，为无产阶级和人类解放寻找现实路径。《反杜林论》中，恩格斯一再声明《反杜林论》的写作目的是回击杜林对马克思主义思想的攻击和曲解，其首要任务是讲清楚马克思主义思想的本质内涵。**“尽管这本书的目的并不是以另一个体系去同杜林先生的‘体系’相对立”**[①]，不过恩格斯的阐述为读者更准确把握**“各种见解之间的内在联系”**[②]提供了方便。《反杜林论》虽然分为“三编”，但“三编”并不是互不相干的，而是一个紧密联系的整体，是紧紧围绕“社会主义”展开的。“哲学编”是对杜林社会主义哲学基础的驳斥和对科学社会主义哲学基础的阐述，“政治经济学编”是在批驳杜林如何实现社会主义观点的同时对科学社会主义实现的阐发，“社会主义编”则是“三编”的核心和落脚点，正面阐述马克思主义的观点，前两编为“社会主义编”服务。

另一方面是马克思主义的大众化。与马克思和恩格斯的早期作品相比，《反杜林论》的语言风格并非像许多专业著作那样枯燥乏味、晦涩难懂，而是表现出极大的趣味性和生动性，这使得文章的可读性更强。在论战中，恩格斯摒弃陈词，

①②《马克思恩格斯选集》第3卷，人民出版社2012年版，第380页。

用理性而激情的心、生动而有力的语言激烈驳斥，常常运用一些俏皮的或者讥笑又略带讽刺的语言来回应问题，让杜林在论辩中丢盔弃甲、节节溃败。比如，恩格斯在揭露杜林的哲学体系时说："杜林这套序列的'内在的逻辑次序'就'自然而然地'引导我们回到了黑格尔的《全书》。"[①]用寥寥几语揭露杜林所谓的"哲学体系"不过是可耻地生搬硬套了黑格尔的《哲学全书》而已，唯一不同的是，他捡起了黑格尔哲学的糟粕，却抛弃了最为丰富的辩证法的思想，这也正是杜林最无知、最愚蠢之处。尖锐犀利、一针见血是《反杜林论》的又一语言风格。"在这个问题上最可笑的是，杜林先生为了用存在的概念去证明上帝不存在，却运用了证明上帝存在的本体论论证法。"[②]恩格斯毫不留情地揭露了杜林的自相矛盾，指出杜林的本意虽是证明上帝不存在，但采用的论证方法却是本体论论证方法，即预先在头脑中设定某物，然后在现实中确证该物，所以杜林不可能依此驳倒关于上帝存在的神学谬论。由此可见，杜林的哲学底子极其浅薄，无须别人驳斥揭穿，他就足够把自己拖向自相矛盾的泥潭。就这样，恩格斯用他幽默讥诮、犀利深刻的语言一次次地揭露了杜林的无知和狂妄，赢得了论战的彻底胜利。

在《反杜林论》中，一些艰深复杂的问题也可以在现实生活中找到比喻和印证，使得阅读和理解的难度大大降低。书中恩格斯曾以《鲁滨逊漂流记》中鲁滨逊和星期五的故事为例，讨论分析暴力、经济基础和奴隶制等，具有学理性的内容

①《马克思恩格斯选集》第3卷，人民出版社2012年版，第410页。

②《马克思恩格斯选集》第3卷，人民出版社2012年版，第418页。

在这个案例中被比喻得相当具象，例如锋利无比的刀、用于耕地的犁等，这种情况下，人们不需要具备足够的政治经济学基础也能读懂恩格斯在其中传达的信息。另外，恩格斯在文中还多次引用历史案例，而且这些案例中部分还出现在中学的历史课本上，比较典型的是普法战争和巴黎公社，还有北美的独立战争和法国大革命。考虑到一些读者可能不熟悉这些历史，恩格斯在文中进行了细致的说明，如讲到德国农民战争这种非事件性质的历史时，恩格斯善于将历史与现实相比较，进行紧密的联系和说明，描述得相当详细。可以说，这本书以大众化的笔触清楚明白地阐述了马克思主义的哲学、政治经济学和社会主义的基本原理，第一次详细而透彻地从各个方面阐明了马克思主义的特点，使马克思主义的世界观和方法论深入人心，为马克思主义理论在世界范围内的广泛传播作出了重要贡献。

知识链接 ……………………………………

★《反杜林论》在中国的传播 ★

五四运动之后，《反杜林论》被介绍到中国。1930年5月，从莫斯科中山大学留学回国、精通英俄德三种语言的吴亮平在白色恐怖的环境下，克服了生活困苦、条件恶劣、被特务追踪等各种困难，用两个月的时间完成了《反杜林论》全书的翻译工作。1930年11月，《反杜林论》的第一个中译本在江南书店出版。《反杜林论》一经出版，就受到了中国读者的欢迎，短短三年之内，出版了四五个版本。毛泽东同志看到这部著作之后，爱不释手，反复研读。《反杜林论》成为他一生阅读最多的马列著作之一。除了吴亮平翻译的《反杜林论》中文全译本外，还有很多学者完成了该书的中文摘译本或部分译本，中共中央编译局也出版了全译本各版本。这些中译本反映了中国先进知识分子和马克思主义理论家翻译、研究和传播马克思主义的历程，进一步促进了马克思主义中国化、时代化、大众化。

延伸阅读

（1）列宁：《奥古斯特·倍倍尔》，《列宁全集》第23卷，人民出版社1990年版，第382—388页。

深度思考

（1）《反杜林论》是如何体现马克思主义理论的真理性的？

（2）《反杜林论》的广泛传播对世界无产阶级革命运动带来什么影响？

（3）《反杜林论》中“哲学编”“政治经济学编”“社会主义编”之间有什么内在联系？

第 四 章

真理，从过去到未来
——《反杜林论》的新时代现实意义

恩格斯指出:“马克思的整个世界观不是教义,而是方法。它提供的不是现成的教条,而是进一步研究的出发点和供这种研究使用的方法。”[①]《反杜林论》的影响力经久不衰,在今天仍有重要的时代价值和现实意义。它系统阐释了马克思主义基本原理和辩证唯物主义的思想方法,为我们深入学习马克思主义的科学内涵提供了范本,它所展示的批判品质、辩证思维、大历史观和全球视野,为我们正确地认识问题、分析问题、解决问题提供了理论遵循与方法指导。

一、秉承批判品质,辨析错误思想,勇于驳斥斗争

理论批判是人类思想进步的活水和社会发展的源泉,马克思主义按其本质来说也是批判的和革命的。正如马克思所说:“新思潮的优点就恰恰在于我们不想教条式地预料未来,而只是希望在批判旧世界中发现新世界。”[②]《反杜林论》作为马克思主义经典论战性著作,为我们展现了马克思主义者应有的理论批判品质。这种批判品质,不仅表现在恩格斯在写作此书时,出于无产阶级革命的需要,始终以坚定的无产阶级革命立场,对杜林的小资产阶级社会主义展开无情的批判,而且表现在他以鲜明的无产阶级哲学党性原则,以彻底唯物主义的精神对杜林的反辩证法的、折中的、不彻底的唯物主义观点进行了不调和的斗争。

理论批判首先是一种觉悟,它展现的是批判者的责任与担当。每当社会处在巨大变革之时,总有一些人会自觉地、勇

①《马克思恩格斯全集》第39卷,人民出版社1974年版,第406页。

②《马克思恩格斯全集》第1卷,人民出版社1956年版,第416页。

敢地站出来担当起这份历史责任，引领和激励人们探索真理并为真理而奋斗。恩格斯就是这样一位“真理战士”，面对打着社会主义旗号却向马克思主义发起全面进攻的杜林，他果断拿起理论批判的武器，对杜林创造的“科学理论体系”进行了全面深刻的批判，坚决捍卫马克思主义在党内的领导地位，为工人阶级确立了科学的意识形态。恩格斯这种为了共产党人的利益，为了无产阶级的利益，为了全人类的利益，“下决心放下其他工作，着手来啃这一个酸果”[①]的批判精神，彰显了共产党人的批判品质。为了全面地、系统地批判杜林，恩格斯以实际行动告诉我们：推动历史前进，不能把自己作为置身事外的冷眼旁观者，而是要勇于担当，勇于进行理论批判。

理论批判需要严谨和缜密，必须以理服人。它展现的不仅是批判者的斗争精神，还有批判者的理论水平。真正有战斗力的理论批判是建立在深刻彻底的理论说服之上的，也只有这样的理论批判，为群众所掌握，才能转变成强大的物质力量，最终成为改变世界的锐利武器。科学的理论批判是破与立的统一，是批判与建设的相得益彰，而不是“为批判而批判”的情绪宣泄。恩格斯对杜林创造的所谓“体系”进行了全方位深层次严谨而缜密的批判，充分展示了马克思主义批判精神的理论魅力。他不仅认真地研究了杜林的“科学体系”，而且跟着杜林进入到一个庞大的领域，涉猎了与杜林“体系”相关的更为广阔的理论世界。而且，恩格斯在批判杜林的错误观点时，并不是摘取杜林著作中的个别词句，而是抓住其根本性

---

①《马克思恩格斯选集》第3卷，人民出版社2012年版，第380页。

的理论观点，并且完整引述其思想，采取摆事实、讲道理、条分缕析、逐步深入的方法进行剖析和反驳。

理论批判需要尖锐与深度，更需要情怀与温度。没有尖锐深刻的批判，不足以让当时已经中“杜林主义”毒较深的无产阶级事业的追随者彻底醒悟；没有开放包容的批判，只会让读者产生反感厌恶，使宣传教育效果大打折扣。这种温度和情怀不仅表现为对坚持正确理论与思想的朋友与同志的关心和支持，有时甚至还表现为给对手以足够的人格尊重，展现的是批评者的雅量与胸襟。与杜林在批判包括马克思在内的前辈时夹带着大量的人格侮辱不同，恩格斯对杜林的批判仅限于理论批判，对杜林的人格表达了应有的尊重。1885年，恩格斯在解释为什么不对重新出版的《反杜林论》一书作些修改时说：“我的良心也不允许我作任何修改。本书是一部论战性的著作，我觉得，既然我的对手不能作什么修改，那我这方也理应不作什么修改。我只能要求有反驳杜林先生的答辩的权利。可是杜林先生针对我的论战所写的东西，我没有看过，而且如无特殊的必要，我也不想去看；我在理论上对他的清算已告结束。况且，杜林先生后来遭到柏林大学的卑劣的、不公正的对待，我对他更应当遵守文字论战的道义准则。”①

国家发展实践中的问题要求我们从长远的角度、以批判与发展的眼光分析各种理论，不能全盘接收也不能全部否认，要根据实际情况为我所用。当前，我国意识形态领域斗争依然复杂尖锐，各种错误意识形态以极其隐蔽、不易辨别的方式

---

①《马克思恩格斯选集》第3卷，人民出版社2012年版，第384页。

迷惑人们的思想，具有强烈的欺骗性。它们采用一些美好词汇进行包装，打着民主、自由的旗号招摇撞骗，而许多人不加分辨地选择相信这些说辞。当面对西方社会思潮的渗透时，我们须认清其背后的真实政治目的，即它们妄图通过攻击我国的主流意识形态，抹黑我国的基本制度，达到推翻中国共产党政权的目的。在新时代坚持和发展中国特色社会主义进程中，我们更应该拿起理论批判这一有力武器，坚决与各种错误思想进行斗争。

二、运用辩证思维，考察现实问题，应对多元挑战

对辩证法的特别强调和诠释可谓恩格斯晚期理论研究的重心和主线。在《反杜林论》序言中，恩格斯明确指出：**“马克思和我，可以说是唯一把自觉的辩证法从德国唯心主义哲学中拯救出来并运用于唯物主义的自然观和历史观的人。”**[①]《反杜林论》可谓“关于唯物辩证法的百科全书”，对唯物辩证法作了最详尽、最系统的阐发。在这部著作中，恩格斯深刻剖析了杜林唯心主义先验论和形而上学的世界观，系统地论证了马克思主义哲学的基本原理，特别是论述了三大领域的辩证法，即自然辩证法、历史辩证法和思维辩证法；深入探讨了辩证法一系列理论问题，其中包括：辩证法和形而上学的对立，辩证法的基本规律，唯物辩证法的对象、性质和作用。《反杜林论》系统阐释并贯穿全书的唯物史观和辩证思维方式，为我们正确地认识问题、分析问题、解决问题提供了方法论指导。

---

①《马克思恩格斯选集》第3卷，人民出版社2012年版，第385页。

习近平总书记2015年1月23日在十八届中央政治局第二十次集体学习时强调:“辩证唯物主义是中国共产党人的世界观和方法论。”[①]他指出:“我们党要团结带领人民实现‘两个一百年’奋斗目标、实现中华民族伟大复兴的中国梦,必须不断接受马克思主义哲学智慧的滋养,更加自觉地坚持和运用辩证唯物主义世界观和方法论,更好在实际工作中把握现象和本质、形式和内容、原因和结果、偶然和必然、可能和现实、内因和外因、共性和个性的关系,增强辩证思维、战略思维能力,把各项工作做得更好。”[②]为了更好地引领人们实现对美好生活的追求,解决我国新时代社会主要矛盾,需要从马克思主义理论中寻找解决问题的方法和智慧。新时代新征程,只有坚持辩证唯物主义世界观和方法论,才能掌握解决前进道路上各种问题及挑战的正确立场、观点和方法。

运用辩证思维要坚持一切从实际出发,始终求真务实。恩格斯指出,世界的真正统一性在于它的物质性,这种物质性不是由魔术师的三两句话证明的,而是由哲学和自然科学的长期的和持续的发展证明的。世界的物质统一性原理是辩证思维的基石,它要求我们一切工作都要从实际出发,做到求真务实。新时代条件下,我国的社会生产力已摆脱了落后状态,我国人民已不再仅仅满足于物质文化的需要,而是更多地关注公平、生态、法治、民主等各方面的需求,而发展的不平衡与

① 习近平:《辩证唯物主义是中国共产党人的世界观和方法论》,《求是》2019年第1期,第4页。

② 习近平:《辩证唯物主义是中国共产党人的世界观和方法论》,《求是》2019年第1期,第5页。

不充分则成为人们实现日益增长的美好生活需要的制约因素。在实际工作中，要坚持实事求是，避免陷入主观主义、本本主义、形式主义之中；要深刻把握国内外形势的发展变化，立足我国现阶段的基本国情和面临的新机遇、新挑战，作出客观判断，找准战略定位，坚定不移地推动高质量发展。

运用辩证思维要强化问题意识，积极面对和化解发展中的各种矛盾。恩格斯指出，矛盾是事物发展的根本动力，问题是矛盾的表现形式。习近平总书记也多次强调要有强烈的问题意识，以重大问题为导向。坚持矛盾的普遍性、必然性是辩证思维的核心，它要求我们以问题为导向，承认矛盾，分析矛盾，解决矛盾，善于抓住关键、找准重点；要善于运用辩证思维思考问题，坚持把矛盾和问题放在大局中和实践中进行综合研究分析；要积极面对和化解矛盾，辨清主次，突出重点，注意把握好主要矛盾和次要矛盾、矛盾的主要方面和次要方面的关系。具体来讲，就是要以我国改革开放和现代化建设进程中遇到的实际问题为导向，紧紧抓住经济社会发展中的重大、关键问题，围绕关系人民群众切身利益的焦点、难点问题，积极研究对策，寻找解决方案，在不断化解矛盾中推动各项工作落实。

运用辩证思维要学会客观、全面、联系、动态地看问题。恩格斯多次在书中强调，世界上任何事物都处在相互依赖、相互影响、相互作用的普遍联系之中。用客观、全面、联系、动态的观点看问题，既是唯物辩证法的根本要求，也是增强辩证思维的有效路径。当前国内外形势发生深刻复杂的变化，只有客观全面地分析存在的矛盾和问题，联系动态地看待经济社会的发展变化，整体联动地制定各项政策和措施，才能科学地平衡各种力量，正确地协调各方利益，积极稳妥地处理好各种矛盾关系。这要求我们，一方面牢固树立有机联系的整体观、大局观，正确处理好整体和部分、当前和长远、重点和非重点之间的关系，突出各自优势，制定有效政策，实现各领域间的良性互动、共同发展；另一方面，坚持以动态、发展的眼光，突破固有的思维模式和传统的发展方式，紧跟科学技术和经济社会发展的前沿，推进科技创新、管理模式创新，推动各项事业发展行稳致远。

三、坚持大历史观，揭示发展规律，研判未来形势

浩瀚而宝贵的历史知识既是人类总结昨天的记录，又是人类把握今天、创造明天的向导。只有铭记历史，才能深刻了解过去、全面把握现在、正确创造未来。坚持大历史观，可以更好地看清社会发展的总趋势，把握历史发展的总规律，有助于我们正确地看待历史的曲折发展，看待党和人民走过的历史道路，有利于对历史上的重要人物和重要事件做出经得起历史检验的科学结论，是实现伟大历史性转折、开辟历史新时期的重要政治前提。新时代，要重视回顾历史、总结历史、学习历史，注重从历史经验中汲取开拓前进的智慧和力量。

坚持大历史观要求历史思维。从方法论的角度来看，贯穿于《反杜林论》全书的是一种思维方式的历史感。从全书来看，恩格斯对真理、道德、平等、自由、阶级、社会主义学说、辩证法和形而上学的对立分析都应用了这个方法，这使得他的分析更加透彻、令人折服。例如，在阐述辩证法和形而上学两

种思维方式的对立时，杜林多是采取静态的而非历史的分析方法。恩格斯则不然，他把对两种思维方式的阐述，置于西方认识发展的历史之中。正是这种独具历史思维的分析，才使我们较为全面地掌握了辩证法和形而上学对立的实质，并且使我们明白了古代朴素辩证法、形而上学、唯心主义辩证法、唯物主义辩证法，这几种思维方式的依次更替绝非偶然。我们了解的每一种思维方式对于所在时代来说都有其存在的理由，人类的哲理思想也有其自身发展的规律。

坚持大历史观要求论从史出。规律作为事物内部的、本质的、必然的联系，深藏在事物发展的历史过程之中。理论形态的规律，乃是人们从事物发展的历史过程中抽象概括出来的。不熟悉历史，非但不能发现规律，也不能真正懂得规律，更谈不上按照规律办事。要懂得自然界、人类社会以及认识的规律，就要研究自然发展史、人类社会发展史、人的认识发展史。中国特色社会主义现代化建设的艰巨性和复杂性要求我们，要认真研究以往的经验教训和其他国家的成功案例，认真学习我们党的历史、新中国史、改革开放史、社会主义发展史以及世界历史，深入思考、科学分析，不断提高对共产党执政规律、社会主义建设规律和人类社会发展规律的认识水平，不断提高自觉运用这三大规律的能力，更好地促进社会主义物质文明和精神文明的协调发展。

坚持大历史观要求正确对待前人，不断批评自我，为后人做好铺垫。每个人都是社会中的人，都处在具体的历史条件之下，这要求我们清醒地认识自己的历史方位，承担起历史责任。正确地对待前人，包括对历史作出杰出贡献的人物。要如实地把他们放到当时的历史条件之下去评价，肯定他们的功绩，认识他们的局限，既不要神化他们，也不要苛责他们。评价前人实际上也是对自身水平的检验和鉴定。恩格斯在《反杜林论》中介绍了三大空想社会主义者——傅立叶、圣西门和欧文对于当时法国和英国的局势进行分析与变革的设想。他们的想法虽然先进，但是依旧有空想的色彩包含其中，缺少实践性。虽然受到当时历史条件的限制，但是恩格斯没有否定其对于社会主义的奠基作用。这种对待前人科学的、有分析的、实事求是的态度，表现了他伟大的人格魅力和深厚的理论素养。

坚持大历史观要求永远保持谦虚谨慎、戒骄戒躁的良好学风。杜林是一个典型的、地道的形而上学者。他从永恒不变的真理出发，导出永恒不变的道德，最后得出了假社会主义的结论。针对杜林在真理观方面的绝对主义独断论的错误，恩格斯论述了思维的至上性和非至上性、真理的绝对性和相对性、真理和谬误的关系。他举出非生物界、生物界、人类社会三大领域的事实，说明具有终极意义的、一成不变的永恒真理，任何个人都是提供不出来的，真理都是具体的、有条件的、相对的。恩格斯在《反杜林论》中深刻地指出：**“很可能我们还差不多处在人类历史的开端，而将来会纠正我们的错误的后代，大概比我们有可能经常以十分轻蔑的态度纠正其认识错误的前代要多得多。”**[①]每一个人的思维所达到的认识**“需要改善的东西，无例外地总是要比不需要改善的或正确的东西多**

①《马克思恩格斯选集》第3卷，人民出版社2012年版，第462页。

得多”[①]。我们应当牢记两个“多得多”，密切注视实践的检验和认识的进展，无论何时都不要头脑膨胀，永远保持坚持真理、纠正错误的优良品格，永远保持谦虚谨慎、戒骄戒躁的良好作风，为人类认识的长河多添加一些真理的“颗粒”。

四、聚焦全球视野，联合各国力量，推进国际共运

与时代同步伐，与人民共命运，关注和回答时代和实践提出的重大课题，是马克思主义永葆生机活力的奥妙所在。在《反杜林论》中，恩格斯重点分析了资本主义社会的各种矛盾及其发展规律，对资本主义的私有制进行了全方位的批判，为推进国际共产主义运动提供了信念与指引。根据《反杜林论》中恩格斯对资本主义的分析，资本主义社会从其产生开始就是以生产资料的私人占有和残酷的剥削为特征的。只有消灭资本主义的私有制，才能从根本上消灭它所具有的残酷又暴力的剥削，只有这样每个人才能在社会中得到自由和解放。无论资本主义表现出来的是强大的经济生产力还是健全的保障能力，它的实质还是人对人的剥削。而如今资本主义的发展较之前也不断涌现出许多新的变化，资本主义制度的不断变革和更新推动资本主义生产力与生产关系继续相互适应，因此至今还保持着它的发展空间。所以，对待当代资本主义的发展还是要从现实出发，认清事物发展的客观规律，坚持实践的观点，不被表面现象迷惑，始终坚信共产主义的实现才是实现全人类解放的正确途径。要明确的是，资本主义不论处

---

①《马克思恩格斯选集》第3卷，人民出版社2012年版，第463页。

于哪个发展阶段，它所固有的矛盾无法在自身的变革中解决，只有从根本上消灭这种生产方式及建构于其上的社会制度，资本主义基本矛盾才能彻底解决。因此，先进的无产阶级开始要求推翻这种阻碍社会进步的社会制度，开始把共产主义作为发展的目标努力奋斗。总之，《反杜林论》中的科学社会主义思想有助于处在社会主义实践中的人们坚信用社会主义代替资本主义的必然性，坚定地走社会主义道路，坚定共产主义的理想信念，努力推进本国社会主义实践，进而推动全球范围内国际共产主义运动的深入发展。

知识链接 ……………………………………………………

★ 国际共产主义运动 ★

国际共产主义运动，简称国际共运，是指在世界各国开展的共产主义运动，其目的是为了推翻剥削阶级的统治，建立起人人平等的社会主义社会，进而实现共产主义。以1847年6月2日世界上第一个共产主义政党共产主义者同盟的建立为开端，国际共产主义运动迄今已历经170多年。随着科学社会主义理论的广泛传播，国际共产主义运动在世界各国迅猛展开。20世纪的国际共产主义运动史，既见证了社会主义从理论到制度、从一国到多国的辉煌，亦遭遇东欧剧变、苏联解体的曲折。21世纪中叶中国特色社会主义现代化强国的建成，将使社会主义制度优越性得以彰显，国际共产主义运动实现复兴。

恩格斯在《反杜林论》中的科学预判与精辟论证对于全球化时代应对困难挑战、提出共同方案仍具有重大的现实价值，为推进国际共产主义运动提供了希望与力量。恩格斯立足于唯物史观和剩余价值理论，通过对资本主义基本矛盾及其表现、资本主义经济危机、资本主义股份公司和“国有化”的深刻分析，揭示了资本主义必然灭亡是不可抗拒的客观规律，精辟地论证了未来社会的基本特征。在《反杜林论》中，恩格斯主要围绕生产资料归全社会所有、商品生产被消除、生产的计划性和组织性、个人占有生活资料和享受资料、阶级差别和对立的消失、国家将自行消灭、人类社会由“必然王国”向“自由王国”的飞跃、城乡对立消失、教育与劳动结合等方面，描绘了一幅未来美好生活的宏伟蓝图。届时，人类能够运用客观存在的规律，之前的“异己的力量”也将在人类的控制之下，人类将成为自然界和社会真正的主人。恩格斯在分析共产主义社会的重要特征时，表达了人类对未来美好社会的展望，也全面系统地阐明了科学社会主义的基本原理。恩格斯所描述的共产主义社会的重要特征，是对社会发展规律的正确反映。这些光辉的思想，始终照亮着无产阶级和革命人民前进的道路，是无产阶级奋勇前进的指路灯，强烈地激发着各国人民为实现共产主义而团结一心、不懈奋斗的建设热情和斗志。

当前，发展不平衡成为全球面临的重大问题，传统安全与非传统安全威胁持续扩张，单边主义与零和博弈成为全球和平与发展的重大挑战，国际贸易规则被践踏和破坏，地区争端频频发生，各种不稳定因素影响着人类的生活与安全。国际共产主义运动超越了地域、民族的局限性，在尊重各国文明、制度、意识形态、风俗习惯等差异性的基础上，倡导携手与共，共同应对全球存在的挑战。唯有如此，共产主义在空间场域才能达成，人类的自由全面发展才能成为现实。

延伸阅读

（1）马克思：《摘自"德法年鉴"的书信》，《马克思恩格斯全集》第1卷，人民出版社1956年版，第407—418页。

（2）习近平：《辩证唯物主义是中国共产党人的世界观和方法论》，《求是》2019年第1期，第4—5页。

深度思考

（1）在《反杜林论》中，恩格斯是如何运用理论批判的武器的？

（2）如何运用辩证思维分析和应对当前我国存在的现实问题？

（3）《反杜林论》对于构建人类命运共同体具有何种指导意义？

后　记

中国共产党是用马克思主义武装起来的政党，马克思主义是中国共产党人理想信念的灵魂。学习马克思主义基本理论是共产党人的必修课。毛泽东同志曾指出："如果我们党有一百个至二百个系统地而不是零碎地、实际地而不是空洞地学会了马克思列宁主义的同志，就会大大地提高我们党的战斗力量。"①

党的十八大以来，中央政治局集体学习多次以马克思主义理论为主题，学习了历史唯物主义、辩证唯物主义、马克思主义政治经济学等基本原理和方法论。这既是重温与铭记马克思、恩格斯为人类解放事业作出的不朽贡献，更是坚持用马克思主义观察时代、解读时代、引领时代，用鲜活丰富的当代中国实践来推动马克思主义发展。

党的十九届六中全会深刻总结了党的百年奋斗重大成就和历史经验，我们应该充分认识到，现阶段社会主义事业取得了巨大成功，但是改革发展稳定任务之重、矛盾风险挑战之多、治国理政考验之大都是前所未有的，因此必须坚定马克思主义信仰，坚持唯物史观和正确的党史观，继续学习和实践马克思主义，从党的百年奋斗历程中汲取科学智慧和真理力

---

①《习近平谈治国理政》，外文出版社2018年版，第404页。

量。恩格斯指出："只要进一步发挥我们的唯物主义论点，并且把它应用于现时代，一个强大的、一切时代中最强大的革命远景就会立即展现在我们面前。"①

新时代，为了追溯马克思主义政党保持先进性和纯洁性的理论源头，提高人们运用马克思主义基本原理解决当代中国实际问题的能力和水平，红旗出版社组织编写"大家写小书·马恩经典著作新读"系列丛书，笔者承担本书的撰写工作。

2020年是弗里德里希·恩格斯诞辰200周年，他的光辉思想和伟大人格永世长存，影响至今。恩格斯是全世界无产阶级和劳动人民的革命导师，是马克思主义政党的缔造者和国际共产主义的开创者，对马克思主义学说的创立和发展、传播和运用作出了巨大的贡献。《反杜林论》作为恩格斯的著作之一，是马克思主义发展史上的一座精神丰碑，为工人阶级和全人类解放指明了方向，也为人类思想理论发展提供了科学方法论指导，其中包含的理论观点和思想方法是我们学习和研究马克思主义的丰富养料。

本书集中研究了《反杜林论》的写作背景、主要内容、理论意义与历史意义、新时代现实意义等，着重分析了其主要内容，从"引论"中对科学社会主义与杜林错误观点的概述、"哲学编"中对杜林唯心主义与形而上学的反击、"政治经济学编"中对杜林庸俗经济学的反击、"社会主义编"中对杜林冒牌社会主义的反击以及恩格斯对杜林错误思想进行论战的整体性审视这五个层面，来帮助广大干部群众深入学习和理解《反杜

① 习近平：《在纪念马克思诞辰200周年大会上的讲话》，人民出版社2018年版，第28页。

林论》这一经典著作,以更有定力、更有自信、更有智慧地坚持和发展中国特色社会主义。

中国人民大学马克思主义学院博士研究生单文鹏、陈雨萌、田雨晴对此书亦有贡献。限于视野、学识和能力,研究中难免出现不足之处,还望广大读者、同仁不吝赐教!

致敬先驱!致敬经典!让真理之光照亮未来!

王易　于人民大学人文楼

2021年10月30日